D0362218

APRENDIENDO A MORIR

ALICIA YÁNEZ COSSÍO

APRENDIENDO A MORIR

Ilustración de la cubierta: «Santa Tais».
José de Ribera, *c.* 1644 - 1647

Primera edición: mayo de 1997
Segunda edición: enero de 1998

Eduardo Whymper 250 y Avenida Francisco de Orellana
Quito, Ecuador

ISBN: 9978-95-193-8
Registro derecho autoral: 010604, 16 de abril de 1997
Depósito legal: 000949

Impreso en Ecuador - Printed in Ecuador

A Luis Miguel Campos, mi hijo,
quien me facilitó el acceso a sus archivos
históricos para la beatificación —1774—
de Santa Mariana, con los testimonios
sobre los que se basa esta novela.

... Aquella eterna fonte está escondida,
Qué bien sé yo do tiene su manida
Aunque es de noche.

En esta noche oscura de mi vida,
Que bien sé yo por fé la fonte frida,
Aunque es de noche.

Su origen no le sé, pues no le tiene
Mas sé que todo origen de ella viene
Aunque es de noche.

Bien sé que suelo en ella no se halla
Y que ninguno puede vadealla
Aunque es de noche.

Sin ser tan caudalosos sus corrientes
Qué infiernos cielos riegan y las gentes
Aunque es de noche.

El corriente que nace de esta fuente
Bien sé que es tan capaz y omnipotente
Aunque es de noche.

El torrente que de estas dos procede
Sé que de ninguna de ellas le precede
Aunque es de noche...

San Juan de la Cruz

NADIE PUEDE SOSPECHAR QUE el encorvado anciano Don Xacinto de la Hoz es el último descendiente de los Najman, quienes, en el siglo XIV, se vieron obligados a recibir el bautismo y emigraron de Toledo a Ceuta, a raíz de las predicaciones del dominico Vicente Ferrer quien preconizaba el «odio santo» contra los infieles.

El viejo se encuentra sentado, con su inveterada paciencia en espera de que el Alguacil Mayor le reciba. De rato en rato, se frota las manos con angustia y aprieta la bolsa donde lleva unos cuantos miles de ducados, por sí se ve obligado a dar algún soborno; de la voluntad del alguacil depende que pueda obtener sin más complicaciones el certificado de limpieza de sangre, necesario para embarcar lo más pronto posible a su nieto rumbo al lejano País del Oro y la Canela. Presiente que llega al final de su vida y teme por el nieto que es el único sobreviviente que queda de su familia. Debe ponerle a salvo para que él y los hijos de sus hijos cumplan el anhelo de vivir algún día en la Tierra Prometida. Musita como siempre:

—«Si alguna vez te olvidase, ¡oh Jerusalén! que me falle la diestra; se me pegue la lengua al paladar si no te recuerdo...»

Don Xacinto de la Hoz, igual que sus padres y abuelos aprendió a sobrevivir entre cristianos, dedicado al estudio de la Torá, a la práctica secreta de observar el día sábado, a celebrar el Pesah y el Yom Kippur y a la copia minuciosa de los textos del Talmud trasmitidos de generación en generación. Tiempo y prudencia fueron sus mejores aliados para que nadie osara motejarle de «marrano». El apellido De la Hoz le viene desde siglos y siempre se sintió seguro ante la amenaza de los Autos de Fe y al margen de cualquier persecución. Pero un infiltrado en el terrible Tribunal del Santo Oficio le descubre que ha visto el nombre del nieto en una de las tantas listas de sospechosos. El joven es irascible e impetuoso, en nada se parece a los de su estirpe. Le ocasiona muchos sobresaltos porque no ha aprendido a callar y sí a poner en entredicho los temas religiosos del momento. Lo mejor que puede hacer, antes de morir, es mandarle lejos del Reino. Sabe que un pariente lejano, dedicado al comercio, goza de prosperidad en el Virreynato de Nuevo México y aunque es un viaje peligroso y sin posible retorno, quiere ponerle a salvo para morir tranquilo.

El anciano se consume en el ir y venir para lograr que el joven haga la peligrosa travesía. El nieto, igual que los miles de aventureros entre audaces y desvalidos que pululan en el Reino de España y sueñan con viajar a las Indias en busca de fama y de fortuna, está encandilado con la aventura.

Don Xacinto de la Hoz ha llegado muy temprano en busca del certificado de limpieza de sangre, ha caminado tambaleante, apoyado en bastón que sabe de las punzadas de su gota. El certificado tan apetecido para viajar a las Indias y para tener el privilegio de hablar ante el rey con el sombrero puesto, al fin está listo. Ni siquiera ha tenido necesidad de abrir la bolsa, y cuando sale con el ansiado documento, no le pesa la joroba ni arrastra la pierna hinchada, aunque le acosa el presagio de que ha revivido unos instantes para dejar el mundo.

Amanece el día de la partida. La muchedumbre se agolpa en el puerto. El joven se despide del anciano. Las palabras se niegan a salir. Los dos saben que es la última vez que se abrazan y las lágrimas corren abundosas. Las velas del galeón se inflan con el viento. Los viajeros invocan la protección del apóstol Santiago, se santiguan y se besan los dedos en forma de cruz. Se sueltan las amarras y el galeón se hace a la mar. Las mujeres no cesan de llorar y de pedir al cielo por sus hombres. Los viajeros agitan los pañuelos mientras sienten muy adentro el desprendimiento de la tierra. Don Xacinto de la Hoz se queda desvalido, tiene la barba húmeda y los ojos enrojecidos mientras estruja el Talmud en miniatura que lleva en el fondo del jubón.

Cuando el barco se aleja y es apenas un punto en el horizonte, se arrastra penosamente hacia su casa, se desploma en su lecho y cumplida su misión, implora al Dios de Abraham, de Isaac y de Jacob y el cuerpo se le entiesa y se le enfría.

El joven navegante que lleva el mismo nombre y apellido del abuelo, desde la popa, se lleva la mano al pecho para calmar ese caballo desbocado de su corazón y oprime la sentencia de ser cristiano viejo que acaso le sirva para lograr algún empleo en las Audiencias o Cabildos que se fundan por doquier en las nuevas tierras. Sabe que la corona española no puede correr el riesgo de que los reinos descubiertos y conquistados para su Cristianísima Majestad, se conviertan en refugio de herejes luteranos, calvinistas o judaizantes y hace votos de no soltar la lengua.

La travesía por el mar es larga y agobiante, aún temen la presencia de los monstruos marinos que se tragan a los barcos y a los precipicios donde las embarcaciones desaparecen. En el fondo de las sentinas asfixiantes o sobre la cubierta atestada, no faltan las penalidades ni tampoco las riñas. Los viajeros pasan las horas de incertidumbre entre juegos de naipes y mareos, sin dejar de lado los sueños de poder y de riqueza.

Xacinto de la Hoz se mantiene aislado. Su única preocupación es adentrarse en la lectura de los preciosos libros y manuscritos que lleva como el mejor tesoro en sus alforjas, pero no puede concentrarse porque hay demasiada gresca a su lado. No habla con nadie. No se aliviana la carga de angustia al pensar que no hay un ser vivo para cerrar los ojos del viejo cuando muera, ni quien lave su cuerpo, ni le entone salmos. Apoyado en la borda, conserva en la retina la imagen del viejo, y para no llorar hunde la mirada en el horizonte y dormita.

Pasan los días lentos y agobiantes. Son meses de lenta travesía a merced de los caprichos del viento y los recuerdos. Al fin hace amistad con un comerciante de paños que viaja al Virreynato de Nuevo México, y por él se entera que su lejano pariente ha muerto hace tiempo. Se le derrumban sus sueños y se siente como un leño entre las olas. Oye hablar con entusiasmo de «la siempre verde Quito», una próspera ciudad construida cerca de las nubes y sin mayor razón, sólo por una corazonada, decide probar suerte en esos lares.

Después de algunos meses, al salir de Panamá, el viaje toma otro cariz, se torna más peligroso. Amarrado al palo mayor, el vigía otea sin cesar el horizonte para dar la voz de alarma ante la presencia de los temidos piratas holandeses, que envidiosos de la supremacía española y partidarios de Calvino, navegan desde el estrecho de Magallanes hacia el norte y hacen terribles incursiones a lo largo de los puertos del Mar del Sur. Le cuentan que los cargamentos de oro y las toneladas de plata que salen de El Callao rumbo a Panamá son la presa apetecida de todos los piratas y corsarios.

—¿A esto llamáis cruzar el charco...? —les pregunta.

La mayoría de viajeros son hijosdalgo y segundones naturales de Castilla, Andalucía y Extremadura, son jóvenes desarraigados, con su sensualidad tradicional y un ansia desmedida de fama y de riqueza. Viajan sin sus mujeres, y sueñan en lograr un matrimonio con alguna mujer rica, no importa si es fea y mejor si es vieja... Entre tantos fulanos, hay quienes tienen el quijotesco afán de convertir idólatras o traen el real encargo de meter en cintura a tanto aventurero que lleva en sus alforjas las semillas de picaresca y los vicios de germanía.

Agotado y exhausto, al fin desembarca frente al puerto de Guayaquil con el tesoro de sus libros, un puñado de ducados y una muda de ropa. Guayaquil es el más grande astillero del Mar del Sur y se admira de que esté tan desprotegido de baluartes y se presente como una fácil presa de piratas. Para llegar a su destino, le dicen que debe desandar lo andado por el mar y aventurarse por tierra hacia el norte, porque no es nada fácil llegar a la remota ciudad andina.

Mira a los seres extraños, semidesnudos, con apariencia humana, que acarrean maderos, llevan cargas pesadas, no hablan, no descansan, se mueven bajo el látigo, y se estremece al pensar que así debieron padecer sus antepasados y todos los que fueron sometidos a esclavitud para extender sus territorios o imponer sus religiones.

Para el viaje por tierra hay que hacer tantos preparativos como para embarcarse. Se junta a la caravana de unos comerciantes. Busca un caballo, pero le aconsejan que es mejor hacerse de una mula y mejor aún de toda una recua de mulas de relevo.

—Una mula castellana —le repiten.

Comienza el viaje. El paisaje por el que se aventura la caravana cambia en cada recodo del camino y, con el paisaje, cambia el clima. Va de asombro en asombro. Dejan las tierras bajas con las aves de colores encendidos que hablan como humanos y árboles de troncos que tienen apariencias femeninas en actitudes orgiásticas. Cruzan la selva feraz donde anida la malaria. Atraviesan los valles cálidos, trepan por las montañas heladas. A lo largo del camino hay algunos tambos, pero son incómodos y están mal atendidos. Los caminos son tortuosos y están erizados de peligros. Los estrechos senderos de herradura se retuercen en meandros. El viajero apenas puede creer que existan semejantes precipicios sobre los que se balancean puentes colgantes trenzados de bejucos que oscilan como cuerdas flojas al paso de las mulas castellanas. Las mulas habituadas al sendero hunden las pezuñas en los riscos con mayor aplomo que los briosos caballos. Debe cruzar el puente, descabalga y como es joven se apresta con entusiasmo a la aventura.

Al fondo de la sima ruge el río y se retuerce entre furiosas cascadas y enormes piedras vomitadas por los volcanes. Allá abajo los naturales, al mando de un capataz, lavan las arenas en busca de pepitas de oro.

El guía, un indígena curtido por el sol y el viento de los caminos, le aconseja:

—No has de mirar abajo sino al frente, si no queréis que te trague el abismo.

Llegan al páramo. El huracán, patrón tirano del paisaje, arremete furibundo con aristas de hielo que se clavan como agujas en las manos y en la cara. Por un precio exorbitante, logra comprar un poncho y un zamarro que le salvarán la vida. Otros viajeros desaprensivos se ven precisados a matar sus propias cabalgaduras para meterse dentro. Entre la sangre caliente y olor de las vísceras, se salvan de morir congelados y de quedarse tendidos para siempre en el pajonal sombrío. La tempestad arrecia. Se detienen a pasar la noche. Aterrados y ateridos contemplan la furia de los relámpagos que iluminan la soledad del páramo como si el sol ecuatorial estuviera en su cenit. Estoicos, soportan la cruda arremetida del granizo entre la lluvia incesante y los rayos.

En las hondonadas de los valles el calor sofoca y claman por un sorbo de agua. No faltan las plagas de mosquitos y zancudos que inyectan su veneno, ni tampoco las bandas de asaltantes de caminos que desvalijan a los incautos, pero al fin, cuando Xacinto de la Hoz está al borde de la locura y maldice porque han desaparecido todas sus alforjas, y se arrepiente por no haber desembarcado en el sitio que debía, un día, llega a la ciudad conocida por los Incas como la Ciudad Santa de los Hijos del Sol.

Entonces se calman por ensalmo los cansancios del viaje y las fatigas, aunque se siente desconsolado sin su alforja de libros y no deja de preguntarse por qué razón el dicho porquerizo extremeño hubo de fundar una ciudad tan próspera en un sitio tan abrupto, habiendo como hay tantos fértiles y hermosos valles en los alrededores.

—¿Fue este el Reino de Quito...?

—Quedan sólo vestigios de lo que fue y ya no es, le responden.

Las leyendas que escucha se confunden con las fábulas, y es todo ojos, incertidumbre y penas.

* * *

Xacinto de la Hoz se queda absorto ante el crecimiento de la ciudad que se ensancha al ritmo alocado de una religiosidad ampulosa. Hay innumerables construcciones nuevas. El afán de hacer iglesias, ermitas y monasterios es la fiebre que consume a los moradores de la villa. Tal parece que los habitantes tuvieran la desmedida urgencia de preparar un sitio digno para alojar al terrible Señor de los Ejércitos, dueño de las tempestades y los truenos, de las erupciones volcánicas y las correntadas de los ríos para que no esté dentro de cada uno ni sea el testigo inoportuno que acosa con amenazas y señales de castigo.

Xacinto de la Hoz entra a la ciudad mientras murmura:

—Sinagogas, mezquitas e iglesias, son lo mismo.

Le cuentan que la ciudad tiene unas doscientas cuadras con unas dos mil quinientas casas que se agrupan en las laderas de un despiadado volcán llamado Pichincha, el que ha ocasionado demasiados terremotos y calamidades y cuyas cimas siempre están cubiertad de nieve. Le aseguran que la ciudad goza de una eterna primavera, sin los ardientes veranos ni los gélidos inviernos de la lejana Europa. Mira su extensión encajonada entre las sinuosas laderas del volcán, de las colinas del monte llamado Itchimbía, de la loma de Huanacauri y del redondo Yavirac, un monte tan pequeño y tan gracioso que parece un panecillo, por lo que las gentes aseguran que no es ningún capricho de la naturaleza sino la hechura paciente de los antiguos moradores.

Los campanarios de las iglesias, cúpulas, cimborios y espadañas se levantan soberbios encima de las musgosas techumbres de las viviendas que lucen pobres alrededor de los diez grandes conventos. Le cuentan que los hábiles constructores han resuelto la dislocada geografía con monumentales arquerías subterráneas aprovechando las ruinas incásicas sobre las que están asentadas las casas y sobre las que se han trazado las primeras calles.

Está cansado, debe buscar alojamiento. Le indican una posada, pero no concreta nada porque la primera pregunta de la dueña es acerca de cuáles son sus devociones y como contesta que no tiene ninguna, la mujer se santigua y le cierra la puerta. Las moradas de la gente rica no reciben extraños y él debe contentarse con lo que aparezca.

Alrededor de los macizos muros de las casas exiten poyos para que el caminante descanse de las cuestas o se siente a charlar con los vecinos. Se acomoda en uno de ellos. Tiene las posaderas llagadas y le acosan la fatiga y las hambres atrasadas. Se acerca la noche. Entre las sombras aparece un mestizo que le mira de arriba abajo, adivina sus sinsabores y sin más le pregunta:

—¿Sois recién llegado? ¿Buscáis una posada? Yo sé de una que puede acogeros...

Xacinto le agradece y va tras él.

La casa a la cual le conduce también tiene poyos en el zaguán y en él se sienta en una espera que le parece eterna. La casa es grande y oscura. Asoma el dueño y tras él la esposa, los hijos y los criados que le miran de hito en hito, le acercan la llama de la vela y le preguntan con descaro qué ha traído.

—He perdido todas mis alforjas, pero puedo pagar el hospedaje —contesta entristecido, mientras acaricia al dismimulo la bolsa de ducados que lleva amarrada al cuello.

Le conducen por las amplias gradas de piedra que se abren en abanico hacia el piso alto. Le muestran un aposento. A Xacinto de la Hoz le parece bien, demasiado bien para su cuerpo exhausto. Acuerdan la paga y demás condiciones, y sin más se derrumba en la cama y se queda dormido por dos días.

Tiene un albergue donde se quedará a vivir y acaso es el sitio donde dejará sus huesos. La nueva morada tiene unos cuantos recovecos, una huerta frondosa para aislarse y poder atrapar meditaciones y recuerdos, y un patio para tomar el sol de la mañana, aunque el dueño le advierte con frecuencia cada vez que le ve salir sin capa y sin chambergo:

—No os olvidéis que en Quito hay ciento cincuenta días de lluvia, ciento cuarenta y tres días de niebla y sesenta y ocho de tempestad...

Se entretiene en caminar sin rumbo fijo y acaso en encontrar alguien con quien pueda cambiar impresiones y acaso entretenerse en discutir sin comprometerse demasiado.

La ciudad es como una de las tantas que hay en España y hay plazas tan grandes y cuadradas como no las ha visto en el Reino. Al abuelo le hubiera gustado vivir en estos lares y dejar sus huesos en ella. A los lados de la Plaza Mayor se abren cuatro calles de piedra, rectas y amplias, las demás calles son tortuosas y estrechas. Le fatiga ascender por las lomas y le produce vértigo descender hasta el borde de las siete profundas quebradas. Los torrentes de lluvia hacen la limpieza de la ciudad y se llevan el derroche de cáscaras, trapos viejos y cascotes. No hay alcantarillas, apenas hay veredas y cuando llueve, es difícil transitar sobre los charcos haciendo equilibrio entre las piedras.

A la noche, las calles se quedan desiertas. Pero dentro de ciertas casas adivina que existe una soterrada vida nocturna, al calor de los braseros. De vez en cuando asoma un hidalgo trasnochado, va en la silla de manos de cuatro transidos huasicamas. ¡Chalp, chalp!, se hunden las alpargatas en el agua y cuando pasa, el silencio y la lluvia vuelven a adueñarse de la calle.

Las desigualdades del terreno impiden el uso de carruajes, en toda la ciudad sólo hay unos pocos palanquines para el uso de las señoras que se dicen españolas y que salen por las mañanas a cumplir con sus deberes religiosos, a rezar una de las tantas novenas que no faltan en las iglesias de las parroquias y conventos, y cuando van de visita en las pocas tardes soleadas a enterarse de algún acontecimiento que sucedió hace años en la vieja Europa o de algún chisme sabroso que no hay más que propalar para matar el tedio de las horas muertas.

* * *

Vuelan las tórtolas y las palomas por encima de los tejados antes de meterse en el nido, y antes de meterse en la cama, en los cálidos fogones se empieza a destilar y batir el chocolate. Se tiene a mano las espermas y candiles y una indígena descalza golpea medrosa la puerta del vecino para musitar el mandado:

—Que por amor de Taita Dios, dice la patrona que se terminó la panela y que le emprestéis una pizca porque la ña Baltasara tiene entuerto.

Es una noche oscura y, como siempre, llueve. El mestizo Matías Sandoval tiene el encargo de hacer la ronda nocturna a todo lo largo de la Calle de las Siete Cruces. Camina entre las sombras y la lluvia desde el convento de las monjas Conceptas hasta el Arco de la Reina, límite sur de la ciudad.

La posada de Xacinto de la Hoz está cerca del Arco de la Reina. El Arco de la Reina tiene grandes y pesadas puertas. Dos mestizos las cierran a las seis de la tarde, cuando empieza a salir en procesión la fila de indios que, según una ordenanza del Cabildo, no pueden dormir dentro de la villa, sino en las chozas apartadas.

—¿Por qué tanto trajín? —pregunta el recién llegado al hospedero.

—Porque a los naturales les puede dar la gana de tramar alguno de esos levantamientos que deje a los blancos sin cabeza, y como son tantos debéis suponer los resultados... —le responde, y le hace cuentos acerca de cuando los naturales pierden su pacífica presencia.

Las puertas se abren a las seis de la mañana y entran los capariches con sus largas escobas de carrizo. Luego aparece la turba de indígenas canteros que no paran de labrar la fachada de la iglesia de la Compañía de Jesús. Después entran soñolientos los indios albañiles que no cesan de construir los puentes y rellenos sobre las siete quebradas. Más tarde, los indios concertos que llegan caminando desde el valle de Los Chillos, arreando las recuas cargadas de maíz, las frutas de los valles, la leña para los fogones que se prenden apenas cantan los gallos, los atados de yerba para las cabalgaduras y unas cuantas vacas gordas para el ordeño. Bajan los indios cargadores que traen en canastas desde las cumbres del Pichincha la nieve para los helados de frutas que se han hecho famosos en toda la comarca.

Entre tanto tumulto, llegan los aguateros que cargan los pondos con el agua que baja a raudales de las vertientes del volcán y que se recoge inagotable en las pilas de artísticos surtidores. La pila de la Plaza Mayor tiene un ángel de piedra con una trompeta dorada por donde sale un chorro de agua límpido y delgado, y las pilas de la Plaza de San Francisco, de la Plaza de Santo Domingo, de la de San Agustín y de las del interior de los conventos tienen estatuas de faunos o de peces por cuyas bocas fluye el agua de las vertientes y de la lluvia incesante.

No pasa inadvertido al extranjero que los aguateros son el nervio de la ciudad, soportan un peso de seis arrobas en la espalda, sostenido por sogas y una almohadilla de paja. Son seres sonámbulos y tristes. De espaldas ante cada pila, esperan que se llene el pondo y cuando está rebosante lo llevan a cuestas. Caminan pidiendo permiso a los transeúntes con un trotecillo nervioso y apurado. Al llegar a cada casa, aflojan la tira de cuero que pasa por la mitad del pecho y vierten el agua cristalina en los cántaros y depósitos, sin derramar una gota.

Xacinto de la Hoz se pasma ante la parquedad de los aguateros. Advierte que sólo comen un puñado de maíz tostado y otro de máchica que la empujan tomando en el cuenco de la mano un sorbo de agua. No comen nada más, les basta las hojas de coca que mastican despacio. Cobran unos míseros cuartillos de jornal a la semana. Musitan un *Dios solo pay, patrona*, se alejan, y vuelven a hacer otro y otro recorrido sin saber el porqué ni el hasta cuándo...

A veces se interrumpe el trajín de la turba de poncho y de alpargatas. Hay que dejar paso al mestizo con el brazo en cabestrillo de una puñalada que recibió en el garito o en la pulpería y se está desangrando. Hay que dejar libre el camino al cortejo doliente de un agonizante llevado en parihuelas que va a pedir la ayuda del bien morir a los hermanos bethlemitas que se han hecho cargo del Hospital Real de las Misericordias.

El español acosa a preguntas al hospedero y el hospedero le hace cuentos y más cuentos; por él se entera que después de una malograda administración en la que se dilapidaron y desaparecieron todas las limosnas, el Cabildo quiteño recurrió a los bethlemitas:

—Desde que estos santos hombres llegaron, el hospital funciona tal como fue la voluntad de Nuestro Señor Felipe II, es decir, para los españoles que pasan apuros como vos y para los indígenas desamparados como tantos... Son unos pocos hermanos laicos, con un solo sacerdote y una cofradía integrada por las señoras pudientes que se toman el santo trabajo de buscar por todo el territorio a las muchas doncellas huérfanas que carecen de recursos y les dan una dote que les permita casarse el día señalado que es nada más ni nada menos que el Viernes Santo de cada año... Mal día para un ayuntamiento. ¿No os parece...?

Xacinto de la Hoz no puede reprimir una sonrisa.

—Los bethlemitas no descansan nunca —agrega—, trabajan noche y día, limpian las llagas de los indios, aplican los emplastos en las bubas de los libertinos —que hay muchos, aunque no os parezca—, aplacan las fiebres de los apestados que yacen en los nichos: en el más alto, el blanco siempre exige que le atiendan primero; en el del medio, se queja el mestizo, y en el que está a ras del suelo, el indio espera la muerte, en silencio... Los bethlemitas —ya lo habréis visto— van descalzos, pata al suelo. Han hecho el peor de los votos, que es el voto del silencio. Apenas abren la boca... Han jurado no cortarse la barba. El hábito que llevan es de la estameña más grosera. El escudo que muestran en el pecho tiene las figuras del pesebre de Belén. Al mediodía —ya lo habréis comprobado—, cuando el hambre más apura, llenan con la sopa frailera el cazo de los mendigos que hacen fila a las puertas del hospital, y la sopa que les dan, es mejor que la sopa que nos dan nuestras mujeres... De modo que si alguna vez os quedáis sin blanca, ya sabéis dónde está el remedio...

Pasarán los años lentos y agobiantes. Xacinto de la Hoz comprobará que el sitio le conviene más que ningún otro y decidirá quedarse en él hasta que muera. Acodado desde su ventana, verá cómo se extiende la ciudad, conocerá la catadura de sus gentes y sabrá de sus gustos y pecados. Años más tarde, le llamará la atención una niñita que dicen que ha nacido para santa. La verá en la ventana de la casa de enfrente, parada en un taburete, mirando la fila de mendigos que cada vez es más larga.

* * *

Año del Señor, mil seiscientos dieciocho, octubre treinta y uno, víspera de la festividad de Todos los Santos.

Matías Sandoval, el sereno de los mil oficios, relojero ambulante de las noches sin campanas, lechuza que atisba y pregona los sucesos nocturnos, el que sabe a dónde van y de dónde vienen los hidalgos embozados y por qué hay tantas peleas con puñales en los garitos y en las pulperías, grita de trecho en trecho:

—¡Alabado el Santísimo Sacramento! ¡Las nueve de la noche. Todo sereno, pero llueve!

Esa noche no pasa de largo, se detiene ante la casa de Don Jerónimo Senel Flores de Paredes, natural de Toledo en el Reino de España, atisba el resplandor de las velas de sebo y la luz de los candiles que se filtra por las mil rendijas de las puertas y ventanas. Cae la lluvia intermitente y fina. Matías Sandoval deja a un lado el farol con la vela de sebo que se consume aprisa, saca un botijo de aguardiente, toma dos sorbos largos para aplacar el frío y el dolor de huesos, se sacude el poncho húmedo, cuadriculado de remiendos, remedo de los montes andinos con sus campos verdes cultivados, con tierras negras rayadas por el arado de los bueyes o en barbecho, se seca la mano y agarra el puño que tiene la irreverente forma de higa, da dos golpes en la chapa de bronce y espera, mientras pasa la mano curtida de frío por las floridas cabezas de los grandes clavos con que se adorna la puerta de la casa.

El diligente eco llama a la mestiza María de Paredes, criada propia de la casa solariega, tan propia que hasta lleva el mismo apellido de los amos. Le oye caminar a tientas sobre las piedras adornadas con arabescos de huesos pulidos, por el largo zaguán oscuro. Hay murmullos y pasos apurados en el fondo de la casa. Corre la aldaba de la puertecilla falsa y pregunta quién vive. Reconoce a Matías Sandoval, quien a su vez le interroga qué pasa, y ella le cuenta con pormenores y señales que su ama, Doña Mariana Jaramillo de Granobles, está por dar a luz... Asegura que no pasa de esa noche y que su vida está pendiendo de una hilacha porque no han sido en vano los continuos partos y malogros que ha tenido, y agrega que la edad madura le está impidiendo alumbrar como es debido.

El comedido sereno se compadece del ama y ofrece sus servicios:

—Entonces, en porsiaca, si yo puedo ser bueno para algo, que ya mesmo regreso de las monjas y siempre estoy aguaytando lo que pasa...

—Diosolopay, taita Matías. Ya hemos de avisarte, si pasa —el Santísimo Sacramento y la Virgen del Rosario, no lo permitan— algún percance.

El sereno sigue calle arriba, la Plaza Mayor está desierta, el agua de la pila se desborda. Alrededor de los charcos crece la mala hierba y croan las ranas. La casa de la Real Audiencia está en escombros y es nido de alimañas. Lechucero y dispuesto a hacer toda clase de favores, cuida el sueño y las propiedades de los acaudalados señores y de las buenas gentes.

Regresa desde el convento de las monjas Conceptas a quienes considera por demás revoltosas, porque en el afán de aumentar más celdas para las novicias que se acogen con sus numerosas servidumbres, ya no caben entre los muros del convento. Es voz común que han comprado las casas de enfrente en trece mil pesos contantes y sonantes y quieren apropiarse de la calle, porque además, las muchas madres solteras y las que han dado malos pasos, les dejan en el torno los guaguas malhabidos. Pero, a pesar de todo, los vecinos no les consienten tal capricho. Las monjas ponen el grito en el cielo y acuden llorosas al Cabildo en busca de justicia, el Cabildo las manda de paseo y ellas, contumaces y altaneras, mandan construir más socavones y arquerías que se quedan a medio hacer porque no pueden pleitear contra el Cabildo y tienen que contentarse con ordenar a la sumisa peonada que cave la tierra al disimulo y construya un túnel para comunicarse con la nueva propiedad.

A la altura de la capilla de El Sagrario, Matías Sandoval se da cuenta de que ha cesado la lluvia, el cielo está claro y se ven las estrellas. Alguien, sobre los campanarios, ha hecho rodar las nubes cargadas de aguacero hacia las orillas limpias del Machángara. Se santigua ante el resplandor de un relámpago, escucha el último trueno. Mira hacia arriba. Se soba las piernas y los brazos. Toma otros dos sorbos de aguardiente. Le parece que los ángeles hubieran extendido de colina a colina las puntas de una sábana azulada. Se queda largo rato con el cogote erguido, y de pronto descubre una estrella más grande y brillante que las otras, de la estrella nace un resplandor que se estira en filamentos tenues como si fuera una palma encendida...

El espectáculo es demasiado hermoso y por demás inusitado, y en toda la ciudad no hay nadie más que él para gozarlo. Las noches interminables y frías de aguacero son lentas y aburridas. Cuando amanece y ha terminado la ronda, de regreso a su cuarto, no hay ninguna novedad para contarle a su mujer que le espera en el lecho caliente con el pan de maíz negro y el jarrito de agua de canela que echa humo. Matías Sandoval no puede contenerse más, ensancha el pecho y grita entre los carámbanos del aire:

—¡Milagro! ¡Milagro! ¡Alabado sea el Santísimo Sacramento! ¡Salid todos a aguaitar lo que ha aparecido en el cielo!

Los habitantes de Quito, hambrientos de sucesos, se tiran de la cama. Se corren las aldabas. Antes de abrir las ventanas se abrigan con alguna manta. Los vecinos confirman las palabras del sereno y se quedan atónitos, hasta muy tarde, mirando y comentando la milagrosa aparición de la estrella con la palma.

En ese mismo instante, en los cuartos altos de la casa de Don Jerónimo Sanel Flores y Paredes, se oye el primer llanto de una niña. La mestiza María de Paredes jura que la estrella con la palma está colocada sobre el mismo tejado de la casa y es idéntica a la estrella que guió a los Reyes Magos al pesebre. Los criados se olvidan de lo que cada cual estaba haciendo mientras paría el ama, y salen al patio a mirar la estrella con la palma.

Don Jerónimo Senel contempla entusiasmado la aparición celeste, entra y sale, va y viene, se frota las manos y no deja de mirar con creciente orgullo a su octava hija. Doña Mariana, alivianada del difícil parto, entre jícaras y palanganas de agua caliente, de sábanas y emplastos, de reliquias de santos y de estampas de vírgenes, agradece con lágrimas piadosas el augurio que le envía la Providencia. No cabe de gozo. La niña, casi ha nacido en la festividad del día de Todos los Santos y entonces, será santa... La mira arrobada, acuna el cuerpo pequeño de un pedacito de nada. La besa en la frente, la arrulla, la abraza y se sume en las cavilaciones de los santorales.

La madre, el sereno, la lluvia, la noche, la estrella y la palma pregonan a los cuatro vientos que en Quito ha nacido una santa.

* * *

A la mañana siguiente, los curiosos hermanos madrugan y entran en puntillas a conocer a la guagua que está pegada a la madre. Apenas la pueden ver: la gorrita de lana le cubre la mitad de la cara, el cuerpo está envuelto como un tamal de maíz. A un lado de la cama hay un enorme canasto apilado de pieles blancas y curtidas, de bayetas de lana que han sido hiladas y tejidas por los indios de la hacienda de Saguanche, de camisitas de olán bordadas en punto de realce por las monjas del convento de Santa Clara, de lienzos, de ombligueros pespunteados con hilos de colores, de paños de hombros, de fajas, fajuelos, mantones, escarpines y toda clase de ananayes.

La madre se queda inmóvil en la cama por espacio de cuarenta días. Tiene miedo que se presente la fiebre puerperal o que le dé el temido sobreparto que acaba con la vida de las madres. Los baldaquines del dosel que cubre el lecho caen hasta el piso cubierto de esteras alfombradas con las bayetas que salen de los tantos obrajes. Las contraventanas de madera permanecen cerradas, la puerta de la gran alcoba está entornada. Hay un silencio recoleto apenas interrumpido por las risas y los correteos de los niños que quieren entrar al cuarto de la madre para saber cómo y quién trajo a la hermana, y les ordenan que se vayan a coger capulíes en la huerta.

Cada mañana las diligentes criadas tuercen el pescuezo de una gallina gorda, la despluman vertiendo agua hirviente en la batea, voltean al revés el enredijo de las tripas y las lavan como si fueran calzas percudidas. Apartan y sobrepesan la codiciada enjundia, arrancan la vejiga de la hiel y se la tragan porque es buena para curarse de la bilis, y ponen a cocinar en la marmita, patas arriba, entre yuyos olorosos, el ave que desborda su olor por todos lados. Se esmeran en la dieta de la parturienta. Los tazones de caldo, de horchata con anís y de morocho con canela no cesan de salir de la cocina hacia la alcoba. Doña Mariana se alimenta a conciencia para tener una leche espesa, y se sirve los regalos que le mandan los parientes: charoles de huesos de Santa Teresa, tocinitos de cielo y alfajores.

Pero no todo sucede como en los anteriores nacimientos. La recién nacida no tiene hambre, no quiere saber nada con el pecho de la madre. Se resiste a mamar. Ladea la cabeza, no abre la boca y hasta rompe a llorar cuando le insisten. Los familiares buscan apurados la ayuda de una nodriza, y cuando ésta llega con los pechos rebosantes, es en vano... No atinan qué hacer. Comentan que la niña ayuna, que sólo se alimenta con unas gotas de leche cuando comienza la mañana y vuelve a mamar cuando llega la noche. La madre se desespera ante el desgano de la niña y ante el dolor agudo de los pecho que están inflados y con las venas tensas y azuladas.

Las visitas que llegan a dar los parabienes a los padres, miran con respeto a la recién nacida y propalan la noticia de que la niña ayuna porque nació predestinada a los altares.

A los pocos días, vestida con un ropón blanco de raso, adornado con encajes y pasamanerías, y un velo que se arrastra, la llevan a acristianar en la sacristía de la Catedral que tiene el privilegio de conservar entre otros tesoros, doscientas ochenta y siete reliquias de santos traídas del viejo continente y otros lares. Se llamará Mariana. El cura le impone el *santo óleo y el crisma*. Hace a un lado, con disgusto, el encargo de la madre que consiste en un botijo de agua bendita, perfumada y tibia, que le presenta la criada, y vierte en la cabeza el agua de la pila bautismal que está helada.

—¡Hombres de poca fe! —murmura entre dientes—. De dónde acá tantos melindres, si estos ojos que se han de hacer polvo y ceniza y se han de comer los gusanos, no han visto nunca que ningún neófito se enfríe con las aguas del Santo Sacramento... Al contrario, el agua fría es el mejor escarmiento contra las malas pasiones y ayuda a resistir los embates del demonio.

Los padrinos, don Gabriel Meléndez de Granobles y su esposa, están de acuerdo con el cura. La niña tose y se estremece con el agua fría que le resbala por la nuca. Los padrinos se han vestido con lo mejor que tienen en sus arcas y se sienten orgullosos de apadrinar a quien ha nacido para santa.

Al salir de la larga ceremonia, mandan a los criados que les pasen las bolsas de terciopelo negro con los capillos. Agarran un puñado y los tiran al aire. Los guambras y los longuitos que esperan en la calle, se tiran al suelo y se pelean por quitarse las moneditas de plata que caen y brillan como luceros entre los charcos.

Don Xacinto de la Hoz, el español altanero y enigmático, que al paso del tiempo y en espera de una ocupación que no vaya en desmedro de su condición de hidalgo, se ha quedado sin blanca, acierta a pasar en ese instante y hace un gesto de disgusto, blande el bastón, se encasqueta el sombrero y se aleja mascullando improperios y latines.

* * *

La niña, con su vida trazada de antemano, empieza a vivir entre mimos y halagos, entre jarabes, tisanas, jubones de lana de oveja y unos cuantos cuidados para las dolencias que trae desde el vientre de la madre.

Hasta los tres años crece al lado de Escolástica Sarmiento, una criatura de la misma edad. Andan juntas de arriba para abajo y en el momento de la travesura son inseparables. Todavía no entiende lo que quieren decir cuando la tildan de santa y hace las travesuras que hacen los ángeles cuando San Pedro abre las puertas y les dice:

—Id a jugar con los niños que estén tristes.

El caserón de los Paredes es amplio y confortable. Tiene dos pisos y está construido en una mezcla de parquedad castellana y detalles de gracia andaluza, con puertas y ventanas muy estrechas, en una reminiscencia de la cultura antigua. Una grada de piedra por demás transitada por los criados, sube al piso alto. Los aposentos tienen pocas ventanas y los cielos rasos son altísimos. En las salas de recibo no hay sillas sino amplios estrados con cojines de damasco carmesí, al estilo oriental. En las paredes hay profusión de retratos de severos antepasados, de pinturas religiosas de santos y de santas e innumerables espejos con marcos de pan de oro que son más grandes y suntuosos que el mismo espejo y que no están allí para la vanidad de mirarse.

Un día, los estrados aparecen cubiertos de lanas, migas de pan, cáscaras de mandarinas y un insoportable olor a meado de gato. Doña Mariana de Granobles se enoja y manda que las salas permanezcan cerradas para que las niñas no se encarmen en los estrados a jugar con los gatos. Los salones quedan clausurados y sólo se han de abrir cuando lleguen las visitas que se irán más pronto de lo habitual, porque el olor a creso y alcanfor con que han sido regados quita las ganas de seguir charlando.

—¡Ay, Dios santo, qué niñas! Ni siquiera porque Marianita es santa...

—Santa es, pero no se puede decir lo mismo de la otra.

La madre ha mandado que en los corredores del piso alto se tejan entre los pilares de madera y las barandas torneadas y pintadas de verde, unas cuantas sogas para que las niñas no se vayan de cabeza al patio. Cuando hace sol, las mujeres de la casa sacan los bastidores al corredor. Las hermanas mayores se sientan a bordar el inacabable ajuar de novias que les servirá para el día que las manden a contraer matrimonio.

Las dos pequeñas se meten entre las patas de los bastidores, agarran las madejas de hilos de seda y las enredan. La impronta de sus manecitas sucias se queda en los olanes de las sábanas. Se adueñan de las tijeras y esconden los dedales. Les piden que no molesten. Escolástica Sarmiento, que es más osada, le dice al oído que no haga caso. Marianita insiste. Una de las hermanas intenta propinarle un pellizco, pero al punto se acuerda que es santa y que puede pecar si la maltrata y opta por besarle las inquietas manos.

—Marianita, llévate de aquí a Escolástica.

Entonces, bajan las escaleras y se meten en los cuartos bajos que hay en los traspatios donde se almacenan los productos que llegan de la hacienda y juegan a ser las vendedoras del tianguez y las compradoras de la casa. Espían lo que hay en los cuartos que sirven de vivienda a los criados y huasicamas. La casa tiene demasiados rincones y recovecos para entretenerse. Aún se hacen paredes de bahareque y no faltan los muros de dos metros de espesor para que puedan resistir las embestidas de los frecuentes terremotos que castigan sin piedad a la ciudad andina.

Al fondo de la casa, salvando los declives del terreno, hay una huerta sembrada de hortalizas, de yuyos y de árboles frutales entre los que no falta el capulí centenario que invita a subirse por las ramas, unas cuantas hileras de duraznos picoteados por los pájaros, otras de membrillos y manzanos que se dan maña para dar sus frutos durante todo el año. No falta el cobertizo de las bestias, ni tampoco el gallinero.

Mariana y Escolástica visten y desvisten al espantapájaros con las ropas que sacan del cuarto de los criados. Hacen huecos al pie de los árboles y buscan gusanos y lombrices para los pollitos de la gallina saratana. En el traspatio, en el cuarto de Catalina Paredes, la indiecita que Doña Mariana ha regalado a su hija para que le sirva y le acompañe, han visto un palillo. También ha de servir —dicen—

para horadar la tierra y sacar cuicas, pero el huso se parte y Catalina se enoja.

Escolástica goza con la maldad del huso roto, Marianita hace pucheros y *la india ladina en lengua castellana*, sumisa y sorda como una tapia, al punto se ríe, la toma en brazos, la lleva a la cocina. Le acerca un trocito de alfajor a los labios que se resisten a abrirse. Le muestra los moldes de helados que tienen la forma, el color, el sabor y el tamaño de todas las frutas y están reposando sobre el hielo, listos para llevarse a la mesa en la compotera de plata. Con una cucharilla raspa el helado de guanábana y le tienta, la niña se niega a probarlo, hace lo mismo con el de granadilla y de naranja, la niña apenas prueba con el dedo una gota de agua.

Cansada de insistir, le pone en el bolsillo del delantal un puñado de maíz partido para que se entretenga con los pollos y deje en santa paz a las hermanas y a la madre, mientras sacude a Escolástica que ha metido el dedo en todos los helados.

Las dos amigas no se quedan quietas, juegan a las cogidas entre los sembrados y los corredores del patio, se paran en los arriates, arrancan los pétalos de los geranios y las hortensias y se empapan en el agua de la pila. Si Marianita se siente mal, se esconde en la huerta. La una se sube a los brazos retorcidos del manzano y la otra se acurruca al pie del tronco. Levantan la tapa del pozo, la una tira piedras y cascajos, y la otra se queda mirando cómo se triza el ojo de agua y se queda sin pupila. Se sientan en la yerba y conversan pico a pico con los pájaros, les dan migas de pan, se esconden entre las matas de alfalfa. A la hora del almuerzo las buscan y no las encuentran, se hallan jugando a las escondidas y cuando se cansan del juego gritan a coro:

¡Horita, la macomita!

Quieren saber lo que hacen los vecinos. Por encima de una de las tapias tratan de ver al presbítero Don José Martínez de Jibaja, que les regala estampas de la Virgen y les hace la cruz sobre la frente cuando pasa por el lado. Le miran cómo se sienta a tomar el sol por las tardes, cómo se acomoda en un cordobán y abre el breviario que en seguida se cae de la mano porque se queda dormido y ni siquiera siente a las gallinas que picotean la hilera de botones de la sotana.

Por la tapia del otro lado quieren ver qué hace la vecina del fondo, les gusta espiar a Doña María Atahualpa y Asampay, descendiente del último emperador del Reino de Quito. Es gorda, pretenciosa y tiene más criados que los Paredes. El cruce de etnias le ha blanqueado la piel, lleva muchas ajorcas y se viste con más lujo que las señoras españolas. Siempre está metida entre las sementeras de maíz recogiendo choclos y cuando se siente espiada se encara con las niñas, les tira el agua de la acequia y manda continuas quejas a los padres:

—Que se suben a mi tapia y me andan espiando... Que me tiran piedras y me espantan mis gallinas...

Han dejado olvidada una escalera, Marianita trepa los peldaños ayudada por su amiga, *se sube a un tapial altísimo*, también los vecinos tienen gallinas con pollitos. Camina por el tapial, tropieza en una teja, hace equilibrios, no sabe a qué lado va a caer. Da un grito. Cae, y tras ella se derrumba un pedazo de pared. Acuden apurados los padres y criados. La encuentran entre los escombros, Marianita está ilesa. No salen del asombro y se hacen cruces ante la evidencia de que es un ser predestinado, no tiene ni un rasguño, la palpan, la sacuden y ella se esta riendo a carcajadas.

—Marianita, no os riáis desta manera. Así no se ríen las santas...

—Entonces, no quiero ser santa.

* * *

Marianita ha cumplido tres años. Es pequeña, endeble, delgada como la caña de maíz que se entrega al viento. No come nada. Escolástica Sarmiento ya no está a su lado, se ha mudado de casa y se ha llevado consigo el equipaje del ruido y la algazara. En el centro de la familia por demás devota, con unas cuantas hermanas, que en nada se parecen a Escolástica, se queda íngrima y va asimilando los modales recatados de los que viven a su lado, quienes están pendientes de sus actos porque no pueden olvidar que está predestinada a los altares.

Lejos de la amiga, deja muy pronto de ser una niñita. Se olvida de las travesuras. Empieza a perder las alas. Se arranca una pluma a cada instante, duele un poquito, pero pasa. Clausura la puerta de la risa cuando se quiere escapar de la garganta, la muerde, la saborea y encuentra que ya no le sabe a nada. Deja de corretear por los patios, ya no se esconde entre los matorrales de la huerta. No intenta interrumpir la labor de las hermanas. No le importa lo que hagan los vecinos, pierde el interés de espiarlos y de subirse a los tapiales. Se vuelve tranquila, modosa, apacible y empieza a asumir el papel que le asignaron desde el instante en que vino al mundo.

Como se niega a comer, su salud es mala y sólo cuando aparece el sol le permiten levantarse. Se queda en cama acompañada de la india Catalina, pero la sordera le impide entablar cualquier conversa. Mientras la india maneja el huso, la niña se aburre y trata de encontrar dónde poner los ojos. El cuarto es oscuro y silencioso, apto para alejarse de las cosas terrenas. Fija su vista en la filigrana del crochet que tiene el almohadón: el tejido de figuras simétricas da la vuelta alrededor de un punto, las figuras concéntricas se expanden alrededor del círculo como si fuera un mandala, hecho exprofeso para aprender a concentrarse. Apenas se escuchan las campanas de la iglesia cercana. Las horas se arrastran con cansanciao y lo único que puede hacer es dejar que su atención se quede fija en el centro del tejido de ganchillo.

Le han dicho que es el propio Dios quien le ha mandado los achaques que padece, porque le ama... Piensa que la india Catalina también le ama y sin embargo trata de quitarle sus dolores. No puede entender por qué el amor y el dolor, cuando vienen de Dios, se dan la mano. Solo sabe que debe aceptar la voluntad divina con paciencia, y la paciencia implica la inmovilidad en la cama, la ausencia de quejidos y el silencio.

Cuando comienza a sentir el dolor en el costado se arrebuja como un gatito asustado en los brazos de la madre, y si la madre no está acude a la indígena. Catalina le toca la frente. Está ardiendo. Es la fiebre que le aparece al caer de las tardes. Cree que está dormida y la lleva de nuevo a la cama. Le arropa. Cierra la puerta y la confina al aislamiento.

La fiebre le muestra visiones que la alejan del mundo cotidiano y aburrido. Le gusta estar así, flotando entre las sombras. Alguna vez, su mente se extasía ante la contemplación de una luz de asombroso brillo que parece ser hecha con hilachas del cristal más puro. Trata de que sus ojos conserven la aparición de esa luz que no puede ser otra que la presencia divina. Pero la luz es demasiado fugaz y desaparece en un fondo de colores sucesivos, entre otras estrellas que no tienen el fulgor de la primera, y se esfuerza por conservar la imagen tratando de no ver a los ángeles de alas inmensas que aparecen y desaparecen entre nubes amarillas, entre las ramas coloradas de los árboles de la huerta, entre los barrotes de la cama que se alargan hasta el techo, entre los círculos de la labor de ganchillo y el girar incesante del huso en los dedos de la india Catalina que cabecea hasta quedar dormida.

* * *

Cuando llega el verano, con un sol que reverbera al mediodía y con vientos helados que cortan el respiro en las tardes, se sabe que han llegado los días en que se hacen las cosechas. Las familias pudientes acostumbran trasladarse a las estancias. Los Paredes y Flores, o Senel Flores y Paredes, o Flores de Paredes, que para el caso es lo mismo porque es costumbre trastrocar el apellido, van a la hacienda de Saguanche, en las cercanías de Cayambe.

Marianita es feliz en la quietud del campo. Recupera la salud. Se le encienden las mejillas. Se le oye cantar el «Salve, salve gran Señora, Hija del eterno Padre...», lamento andino que en sus labios pierde sus notas de elegía indígena. Acompañada por la india Catalina camina por los potreros, las dos hacen ramos de retamas y de cartuchos para adornar el altar de la capilla, y a la tarde, esperan la llegada del rebaño de ovejas y de cabras para ayudar a contarlas. Se ríen en complicidad al comprobar que cuando los patrones están en la hacienda, no se pierde ninguna oveja ni se desbarranca una sola cabra.

Van por todos lados. La niña aprende más palabras en quichua. Se embelesa con el canto monótono del Jácchihua a cuyos sones ancestrales se recolectan las bondades de la tierra y no entiende por qué, entre tanta belleza, las indias que lavan los anacos en las piedras del río con un guagua a la espalda, los indios que cavan las sementeras de papas, los que guían la yunta de bueyes y hacen surcos siguiendo la cintura de los montes, y hasta los longuitos que se quedan parados al lado de las cercas, con temor de acercarse, tienen dentro de sí tanta tristeza.

Los trojes de la hacienda se llenan de mazorcas, de montones de cebada, de quinua y de todos los granos. La tierra de la hacienda es demasiado generosa. Brillan los trigales y se ondulan con el viento, las hojas de los maizales carraspean al rozarse, las flores de las papas susurran canciones de colores lilas. Las vacas se dejan ordeñar con mansedumbre, las ovejas se dejan trasquilar sin dar balidos. Los criados hacen cuajada y envuelven quesos en hojas de atchera en la cocina.

Don Jerónimo ordena que se tenga presente el mandamiento de los diezmos y primicias y se empieza a separar los costales que irán a las despensas del obispo y a las bodegas de unos cuantos conventos.

La niña se sume en las cavilaciones de los primeros años y no logra entender cómo es posible que al poner en la tierra la mínima semilla se hagan los matorrales y los árboles, ni cómo es posible que de una sola papa crezcan tantas. Le explican que es un milagro y ella empieza a caminar con respeto entre las eras.

Tampoco entiende por qué el mayoral, montado en su caballo, conduce blandiendo un látigo la fila de indios que asisten cabizbajos a escuchar y aprender de memoria la doctrina, por qué se quedan sentados como estatuas en las gradas circulares del patio, con las manos escondidas bajo el poncho. No sabe por qué no está la trenza debajo del sombrero que no se quitan nunca como si les diera miedo que las ideas vuelen demasiado lejos.

—¿Por qué les habéis cortado el pelo?

—Por castigo.

—¿Por qué les habéis castigado...?

—Porque ya han recibido más de doscientos azotes en la espalda y en las posaderas y hasta se les ha metido una semana al cepo, y no entienden.

—¿Qué queréis que entiendan...?

—Que deben asistir por propia voluntad a la doctrina para adorar a Dios y no a Zupay.

—¿Quién es Zupay...?

—El diablo.

—¿Y por qué adoran al diablo y no a Dios...?

—Por malos.

Durante el tiempo de cosechas la hacienda parece tener el colorido de una fiesta, pero Marianita se contagia poco a poco de la melancolía de los indios. Los capisayos viejos, las alpargatas rotas, el olor rancio que sale de sus cuerpos, los sones del yarabí que se lamenta, se pegan a la piel como una costra. Trabajan desde la madrugada vigilados por el mayoral que no abandona el látigo. Los más chiquitos, llevan a pastar las ovejas, las mujeres lavan la lana, la colorean con tintes vegetales, la secan al sol. El tosco hilado de la lana se hace dócil con los golpes del batán y se transforma en el telar en paños, bayetas y lienzos de colores.

Los hombres cavan las sementeras y despostan las reses, aunque tienen prohibido comer carne. Se preparan ollas de mondongos y chanfainas, aunque en las chozas se come puñados de cuchipapas y maíz tostado. En los campos y establos, en los trojes, en los patios y corredores hay alegría y movimiento, aunque la música del pingullo y del rondador, cuando se pone el sol, escalofríe el alma.

Los patrones deben retornar a la ciudad lluviosa y les invade la nostalgia de abandonar el campo.

El día de regreso madrugan. La jornada es larga y cuando hay mujeres nadie se aventura a viajar a oscuras. Don Jerónimo da la orden de partida. La recua de mulas se adelanta con las cargas. Los señores cabalgan a la zaga. Empieza a brillar el sol. La caravana se mueve lenta y zigzagueante entre las estribaciones de los Andes. Vista desde las nubes, es igual a los mullos de un rosario que se le hubiera caído al Cayambe.

Siguen por chaquiñanes y senderos. Cruzan los desiertos páramos, descienden a los valles, viajan entre la paradoja del calor y el frío. A un lado del sendero no faltan los árboles tropicales de chirimoyas y aguacates, y al otro lado brillan los casquetes de nieve en las montañas. Bordean el cauce del río Ovejas que se desliza veloz entre las piedras.

Al mediodía se detienen a almorzar un fiambre. Los indios, apartados, se contentan con masticar, en cuclillas, un puñado de maíz tostado; hacen una bola con hojas de coca y les es bastante. La niña les mira y siente que le nace más ternura. Adivina que bajo el poncho solo hay penas, y cuando le llaman a comer, dice como siempre que no tiene hambre y apenas toma un sorbo de agua. Después del refrigerio, siguen el viaje.

Marianita va a las ancas de una mula y se agarra a la cintura de su madre. Hay que vadear el río que ha hinchado su caudal con los deshielos del nevado. El torrente la pone inquieta, quiere saber por qué se cierra el río cuando la mula pasa y no queda el camino señalado como cuando se transita por el campo de cebada. Aunque es poco parlanchina, no deja de hacer preguntas:

—¿A dónde van los ríos...?

—Los ríos van al mar...

—¿Y dónde queda el mar...?

—Muy lejos.

—¿Dónde...?

—Marianita, por la Santísima Virgen, ya no preguntéis más. No es propio de vos el ser curiosa.

—¿Por qué?

—Porque es pecado.

—¿Qué es pecado...?

Lo que quiere saber tal vez le dirá el árbol de aguacate, porque dicen que comer aguacate con dulce es pecado. Tal vez sepa el cholán que inventa parasoles de flores amarillas a cuya sombra se acogen los indiecitos pastores cuando se sientan a masticar su ración de cucayo. Tal vez sepan los quindes que se paran en las manos temblonas del aire mientras sorben el néctar de las flores. Debe saber el viento que le acaricia el rostro y le levanta a cada instante el ala del sombrerito de paja y hace remolinos locos con la hojarasca. Deben saber los zigses que se dejan coger para hacer las alas enhiestas de los ángeles que acompañan las largas procesiones.

En la mitad del río, va a preguntarle al güiragchuro, pero vuela rápido, vuelve la cabeza, se empina. La mula pierde piso y corcovea. La niña se suelta de la cintura de la madre y cae al agua... Doña Mariana grita aterrada:

—¡Misericordia Señor! ¡Se ahoga mi hijita! ¡Salvad a mi santa!

La caravana se detiene. Hay confusión y gritos. Los indios miran hiératicos la escena. Le toca al mayordomo de la hacienda, Hernando Palomeros, tirarse a rescatarla...

Desde el centro del río, Doña Mariana Jaramillo de Granobles, sus hijos, el padre y los peones la ven parada en el agua. No grita ni tampoco llora, está tranquila y riente. Parece una figurilla de porcelana, escapada de las consolas de la sala y colocada en un ámbito salvaje. El sol le cae como una capa dorada. Tiene las manos cruzadas sobre el pecho. Entre el espejismo del río que inventa olas, que se detiene en remansos, que salta y acarrea pepitas de oro en sus arenas, no asoma la piedra en la que está parada. Apenas se mojan con la espuma las botitas blancas. El viento y el sol le secan en seguida los vestidos de holanes.

El mayordomo Hernando Palomeros llega donde está, la toma con cuidado, la coloca en sus hombros, la trae paso a paso, despacio, buscando las piedras planas, imaginándose que lleva una imagen consagrada. Tiene el peso de una pluma, y cuando llega, la coloca con respeto en los brazos ansiosos de la madre.

Los viajeros respiran aliviados. Los indios suspiran y aprietan los puños con rabia al recordar que sus mujeres prefieren matar a sus guaguas cuando nacen. Los blancos dan gracias a Dios porque la niña está a salvo.

Prosiguen el viaje por el sendero trillado. Todos van recogidos y en silencio, quieren llegar más pronto a la casa contigua al Arco de la Reina para contar a las gentes de la ciudad de Quito que con sus propios ojos han sido testigos de un milagro, para decir que la niña tiene el extraño poder de andar, como el Señor Jesús sobre las aguas. Los indios arrean las mulas y les siguen en silencio. Marianita no entiende por qué nunca se cansan ni tampoco hablan.

Al llegar a la casa cuentan a todo el mundo cada una de las secuencias del milagro, la niña se embarca en la sugestión y se convence de que pudo caminar sobre las aguas. Oye repetir que es un ser predestinado y ella empieza a entender lo que quieren decir cuando la tildan de santa.

Es verdad que en nada se parece a las otras niñas ni tampoco a sus hermanos. Es diferente a Tomás que durante el viaje hizo piruetas en el caballo y cuando está en la casa se mete en la despensa, se llena los bolsillos de confituras y se escapa a jugar con los chicos que pasan por la calle. Ella le ha tomado gusto al silencio y a la quietud para que su imaginación le transporte a las graderías del cielo donde se imagina que los ángeles, arcángeles, serafines y dominaciones están sentados, en fila, gozando de una paz eterna que empieza a parecerle más deleitosa que todo lo que ha experimentado hasta entonces.

Instalados en la casa vuelven a la rutina, a la luz de las velas que dibujan siluetas oscuras en el telón de las paredes encaladas, la familia se congrega con los criados ante el altar de la Virgen de Copacabana para rezar de rodillas el rosario y agradecer a Dios por el milagro. A las letanías, Marianita está cansada, siente la cruel punzada en el costado y tiene fiebre. Ha sido un largo viaje, y se queda dormida en el regazo de su hermana Jerónima. Da pena despertarla. La lleva en brazos a su cama y al desnudarla encuentra que tiene en *la cintura, sobre las carnes, un ramal de espinas*.

* * *

A los dos años de la caída al río, Don Jerónimo Senel, después de una larga enfermedad, se va... al cielo. Sacan de los baúles la gran cortina de terciopelo negro con flecos y borlas de hilos dorados para vestir la puerta de la calle. Empiezan a preparar la capilla ardiente, se clausuran con tablas las contraventanas de madera. Se quitan todas las figuras de porcelana y los floreros de la sala, de la antesala y el salón. Se cubren las molduras de los espejos y los cuadros con velos negros y se ponen por todos lados crespones negros y morados. Meten el cadáver en una caja de madera negra, encienden los cuatro cirios funerarios, le cubren con el paño mortuorio entre lágrimas, salterios, beatas y plañideras que acuden como moscas.

Al tercer día, doblan las campanas. El cortejo de todos los hombres de la ciudad, vestidos de negro, acompaña el féretro que se va a enterrar en una cripta de la Iglesia de San Francisco, mientras las mujeres se quedan desgranando los mullos del rosario de las ánimas.

Delante en la carroza tirada por doce caballos con penachos emplumados, va el cura con los nonaguillos que llevan agua bendita, hisopos e incensarios. Cuando pasa el cortejo, las mujeres se santiguan y musitan oraciones y los hombres se quitan el sombrero.

Pasan los años, y cuando los deudos están de medio luto, muere Doña Mariana Jaramillo.

La orfandad no le deja a Marianita huellas dolorosas, la muerte de los padres es semejante a uno de los tantos viajes que hizo Don Jerónimo a la hacienda de Saguanche. Le dicen que los dos están en el cielo, a la diestra de Dios Padre, el sitio más hermoso, donde no existen quebrantos ni fatigas, donde no hay colas de mendigos ni baldados, donde no llueve ni hace frío, un sitio en el que no se come ni se bebe y se vive en compañía del Todopoderoso y de los santos. Pero para llegar al paraíso es necesario pasar por el trance de la muerte. Entonces empieza a ansiarla y no comprende por qué se llora tanto cuando alguien deja el valle de las lágrimas.

Queda al cuidado de Jerónima, la mayor de las hermanas, casada con Don Cosme de Casso y Miranda quien se traslada a vivir con sus tres hijas en la casa paterna, frente al Hospital de las Misericordias que deja salir por las ventanas los ayes de los apestados y los quejidos de los moribundos.

Al mediodía, parada encima de un taburete, mira desde la ventana la hilera de mendigos que extienden la mano con el cazo para recibir la sopa frailera de los bethlemitas. Desde la ventana de enfrente, Don Xacinto de la Hoz, la ve pegada a los barrotes y no entiende por qué, en vez de jugar con sus hermanas y sobrinas, mira con tanta atención a los mendigos.

* * *

Mariana deja demasiado pronto de ser niña. A los seis años, los familiares se admiran cuando habla de los intrincados conceptos teológicos con la soprendente madurez de una persona adulta. El confinamiento y el silencio de las tardes, cuando llega la fiebre, le permiten crear un mundo de enajenado arrobamiento. Su mundo es el de la mística, la ascética, la predestinación y la ultratumba. Obedece al mandato de ser santa porque ha podido penetrar en la envoltura del Verbo.

Puede abstraerse del ruido para ensimismarse en el misterio. Está convencida de que el Omnipotente, creador del cielo y del infierno le ha señalado con su dedo entre millones de almas. El sentido de la predestinación le quema las entrañas y quiere corresponder la dádiva. Cuando está acostada, sumida en la oscuridad, con los párpados cerrados, domina los latidos del corazón y se adueña del ritmo del respiro.

Sale de su pellejo, lo abandona y se ve a sí misma, desde arriba, tendida en la cama, con las manos cruzadas sobre el pecho. Sale de la casa, de la ciudad, del planeta. Aprehende los colores del arco iris y cuando llega al violeta, aparece la luz lejana que se acerca y la baña toda entera, hasta dentro. Puede ver su corazón como un ascua, sus pulmones como hoguera, sus arterias como rayos. Entonces, experimenta la sensación feliz de no ser Mariana sino luz.

Descubre que todas las cosas tienen alma, y es una realidad, no es sueño ni es visión, el descubrir el alma de las cosas. Aprende que todo lo creado, hasta las piedras están vivas, porque están donde están y son lo que son para decir alabanzas al Altísimo. No cuenta a nadie su experiencia porque en el primer intento de comunicación se rieron de su euforia.

Mariana se transforma en un ser demasiado sensible al latido universal. Penetra sin lastre en el concepto de eternidad y de belleza. Comprende el valor de lo infinito. Se convence que las cosas hechas por los hombres carecen de importancia porque son efímeras y no son perfectas. La mente se le va por espacios que no tienen horizontes, que no admiten ni principio ni fin ni sensaciones materiales. Toda ella, a pesar del cuerpo que le impide transportarse, es sólo psiquis. Flota entre las estrellas, se llena de mayor luminosidad. Llega a la espiritualidad inaprensible y para quedarse del todo en el más allá, el único obstáculo que hay es la materia:

—¡Ay, este cuerpo mío que no me deja estar donde quisiera quedarme para siempre...!

Experimenta tanta paz que no le cabe en el débil cuerpo. Cuando llega a ese estado, cree escuchar un murmullo que repite su nombre y que borra todas las incógnitas. Deja de hacer preguntas, porque intuye o adivina de antemano la respuesta que es la sola y sólida verdad de para qué y por qué ha venido al mundo.

A veces las endebles piernas le piden movimiento, pero tiene que aprender a domeñar el cuerpo para que se expanda el alma. Empieza a vivir una realidad inexplicable a la palabra. Casi no habla, se transforma en una niña solitaria, huraña, reconcentrada, pero nunca triste. Además, todos dicen que es santa y ella quiere dar gusto a los que la aman.

Cuando no está sumida en su mundo interior mirando los juegos de luz y escuchando la voz audible del arrobamiento místico, se entretiene con sus sobrinas Juana, María y Sebastiana de Casso y con su hermana Inés, que van por su misma edad, en hacer altares para las imágenes que se veneran en la casa.

Le permiten coger los candelabros de plata ornados con arandeles de cristal de roca que adornan las consolas de la sala. Corta jazmines, hortensias y amapolas, el jardín se queda desolado. Hace altares para cada imagen y organiza procesiones que circundan los amplios corredores, que van desde el piso alto a la cocina, atraviesan los patios y llegan a la huerta ante los ojos complacidos de los mayores y de la hermana Jerónima que hace el papel de madre y le consiente que trasiegue lo que se guarda en los baúles de cuero negro con cerraduras y estoperoles dorados. Le permite que vacíe hasta el fondo las arcas, le concede la llave de los candados donde se guardan las joyas, los patacones y ducados. La deja que se suba a los armarios y saque los atados de encajes, las sartas de mullos y de perlas, las sedas de China y tafetanes de Italia, que trajeron desde Panamá y llegaron al lejano Quito en la procesión de guandos.

Toda la opulencia en la que viven por entonces los Paredes resulta mezquina para que la niña y sus sobrinas adornen los altares y las andas donde colocan a las vírgenes de vestidos azules y a los santos de capas encarnadas.

Cuando la procesión se pone en marcha, las andas parecen una barca que navega sobre un mar de cabecitas infantiles cubiertas con las mantillas de Jerónima y con los pañolones negros de merino de las criadas que arrastran los flecos por el suelo.

Entre canto y canto, soplan pebeteros con carbones encendidos. El humo del sahumerio y la alhucema perfuman el ambiente y pican la garganta. El chagrillo de las rosas de Castilla cae en arabescos sobre el piso enladrillado y sobre las esteras de los cuartos que se comunican por dentro y por fuera a lo largo de los cuatro corredores. Reina un clima de unción a pesar de los salterios y de las interminables letanías.

Con demasiada frecuencia la beatitud se quiebra, las demás niñas que no tuvieron ninguna estrella con ninguna palma cuando nacieron, se cansan y protestan al tenor de una ceremonia demasiado larga y al peso de las andas colmadas de búcaros y candelabros. El barco se balancea y se queda anclado en el pequeño puerto de una disputa. Mariana les reconviene con la dulzura de sus palabras y les pide un sacrificio más para contentar a Dios y para que las ánimas en pena, convertidas en palomas, salgan del purgatorio. Ellas acceden convencidas, pero de mala gana, y se apaciguan para que la procesión continúe y al fin se acabe.

La india Catalina, con la escoba de yerbas de Cumbayá, barre los pétalos del abundoso chagrillo y raspa con una espátula los lagrimones de las espermas que se quedan impregnadas en las bayetas y en los ladrillos. Las sobrinas se molestan y se cansan. Más tarde, cuando la tía les pida que le azoten la espalda, cada una de ellas tomará su pequeña revancha: le azotarán con más fuerza que de costumbre, y al ver que no protesta ni dice que se detengan empezarán a reírse a hurtadillas y seguirán en el juego hasta estar convencidas que es de piedra, sin entender que traspasó la valla de la miserable carne y entró a formar parte del nervio del misterio.

Se acerca el final de la procesión. El olor del pan que sale del horno les acrecienta el hambre. Las pequeñas empiezan a caminar aprisa. Las andas se menean sin compás. Mariana no tiene apuro. Una vela fabricada por ellas mismas, con el cerumen de las abejas que tienen su colmena en el rincón más apartado de la huerta, se ladea y se cae. Al punto se *prende el velo de toca rajada de Nuestra Señora de Copacabana*. Las llamaradas lamen la imagen. Las andas se incendian. Las niñas las abandonan y gritan asustadas. Aprovechan el instante de confusión para esconderse y no continuar en la tediosa ceremonia. Mariana se adelanta, aparta las llamas, toma el velo encendido, lo estruja, lo sacude.

Ante los ojos sorprendidos de los familiares, el velo aparece intacto, sin arrugas, ni siquiera hay los rezagos de una mancha. Pasa de mano en mano. Todos los habitantes de la casa, con las niñas que han salido del escondite y están contritas, caen de rodillas, han visto con sus ojos un milagro, un milagro más de los tantos que irán saliendo de las manos pequeñas y huesudas de Mariana.

* * *

El mulato Pedro Paz, marido de Catalina Paredes o Alcocer, la que nunca tuvo apellido propio que le dijera quién es y de dónde vino, porque al adoptar el del esposo dejó el de los patrones, es quien recibe la orden de enseñarle a leer y a escribir. La niña se aplica y aprende más pronto que las otras. Le esperan en los estantes empolvados un rimero de libros piadosos con los relatos de las vidas de los santos que son las únicas lecturas que existen en la casa.

En las demás viviendas de la ciudad tampoco hay libros de otra clase. Don Xacinto de la Hoz protesta airadamente contra la Real Ordenanza que prohíbe que se exporte al Nuevo Mundo cualquier libro que hable de las andanzas de valientes caballeros, de hazañas guerreras, de trovadores galantes o de pícaros que encuentran el sustento con su ingenio:

—¡Buena estamos en esta ciudad tediosa! Sólo se nos permite las engorrosas lecturas que ayuden a evangelizar y convertir a los llamados herejes... ¡Bien saben lo que hacen desde el Reino!... La prohibición no se debe a otra cosa, sino al miedo a las lecturas que ellos llaman pecaminosas que tienen tanto poder y son tan sugestivas, que consideran que, si alguna vez, un libro de esos cae en manos de un criollo, no ha de parar hasta fomentar su pereza, ha de impedir el trabajo de los indios y ha de acaparar la atención de los mestizos... ¡Voto al infierno! ¡Maldita sea! ¿Dónde estará la alforja de mis libros...? ¡Son quinientos mil indígenas y somos quince mil blancos desta Real Audiencia que estamos ayunos de Amadises, Lancerotes, Lazarillos y Quijotes...!

* * *

Entre la fiebre de amor que se confunde con el espasmo de los miedos, Mariana trata de agradar a Dios y emular a todos los bienaventurados. Su mayor anhelo es entrar en la vida religiosa, desea la quietud del convento y para entrar en él se prepara a diario.

Aprende a bordar y a tocar la vihuela y la clave como una artista. Nada más justo para su ascético estilo de vivir que el silencio del claustro, lejos de las visitas que le hacen preguntas engorrosas, de los gritos de los pregoneros que van de puerta en puerta preguntando si hay alguna olla o marmita con hueco para ponerle un parche, si quieren comprar leña seca, yerba fresca o ristras de velas de sebo; lejos de las largas sobremesas y de las veladas familiares donde se conversa de los escándalos que suceden en el interio de los conventos, donde se habla hasta el cansancio de abolengos, de blasones, de cuarterones y saltos atrás y se murmura por lo bajo de las poligamias y amancebamientos de los criollos y de los tantos hidalgos sin blanca que deambulan por las calles, pobres, pero altaneros, sin ganas de trabajar y en busca de prebendas o de un golpe de suerte.

—¿Sabéis que el viejo de enfrente, ese de nariz ganchuda, no frecuenta ninguna iglesia, lleva una vida escandalosa y siempre está asomado a la ventana, rascándose la panza y espiándonos...?

—¿Sabéis que habla mal de todo el mundo y hasta dicen que critica a diario a nuestra Santa Madre Iglesia...?

A Don Xacinto de la Hoz, no le queda dinero. Los ducados que trajo amarrados al cuello, se han mermado en comprar nuevas casacas y jubones. Buena parte de ellos se ha ido en la vida disoluta y de apariencia. Vive a la espera de la herencia paterna que no llega porque no hay nadie que se apersone en los juzgados, y se endeuda como tantos otros. El casero le espera con paciencia en aras de una buena amistad:

—Algún día me habéis de pagar con creces los miles de pesos que me adeudáis. Bien sé que no sois un mestizo cualquiera, sino un hidalgo caballero. Sabéis muchas cosas, habéis corrido mundo y es honra y provecho teneros en mi casa.

El hidalgo acude noche tras noche a la casa de Don Antonio Morga, presidente de la Real Audiencia de Quito, en cuyos salones exclusivos, convertidos en garito, se juega a diario a la baraja, apostando grandes sumas de dinero.

El doctor Morga, descendiente de una familia de banqueros oriundos de Vizcaya, es un jugador empedernido. Su elegante esposa no tiene reparo en cobrar cuatro pesos por partida y él se las arregla para ganar todas las apuestas.

A Don Xacinto de la Hoz no le interesa el juego, pero le conviene frecuentar los salones de la aristocracia y sobre todo congraciarse con el presidente porque sabe de los entredichos que tiene con los Familiares del Santo Oficio, que aunque estén lejos, con el mar de por medio, pueden averiguar su paradero. Busca la protección del presidente quien a más de poderoso, maneja las recaudaciones de la Audiencia como si fuera un próspero empresario.

Mientras los severos oidores, los acaudalados mercaderes, los ricos encomenderos y hasta los clérigos juegan hasta altas horas de la noche, Don Xacinto de la Hoz ha descubierto la biblioteca del dueño de casa.

—La única en toda la ciudad que, a más de libros santurrones, tiene de los otros, de los que deberíais leer para decir si son o no son pecaminosos... y si los leyérais dejaríais de ocuparos del vecino y de los rezos.

Feliz entre tantos tesoros, se queda hasta el alba quemándose las pestañas y contemplando la rica colección de pinturas italianas y españolas que adornan los salones.

Pese a que por fin disfruta de lo que más anhela, ni siquiera con la edad ha perdido sus resabios violentos, y su temperamento impetuoso ha crecido como un río que se va de madre. Es él quien pregona que a dicha casa acuden a jugar todos los nobles y, para escándalo del pueblo, son obligados a asistir los criollos que tienen demandas contra la Real Audiencia. Mientras devora libros, se percata cómo entre partida y partida, copas de buen jerez, jarras de chocolate a la medianoche y jolgorio, los jueces y litigantes llegan al entendimiento y hacen pactos vergonzosos. Se admira cómo los criollos se olvidan de las demandas y se reconcilian. Pero, aunque está indignado por dentro, no puede prescindir de hacer venias al dueño de casa para poder refugiarse entre sus libros.

El jesuita Pedro de Lira comparte la indignación del español sin blanca y al fin logra armarse de coraje. En la misa dominical, con la iglesia repleta y con el presidente sentado en el puesto de honor, al lado de su esposa endomingada, lanza improperios y denuestos contra el juego y amenaza con las llamas del infierno a los viciosos. En un silencio sepulcral los feligreses no levantan cabeza. Las mujeres del pueblo se cruzan miradas suspicaces. Los jugadores salen cabizbajos y mortificados. Uno que otro hace un pálido propósito de enmienda que es imposible cumplir.

Pasa el tiempo y con él no se hacen esperar las represalias de los que fueron aludidos. Los jugadores se valen de influencias hasta conseguir que el jesuita Pedro de Lira no suba más al púlpito, agarre las alforjas, les deje en paz y se embarque de vuelta para España.

Se produce el escándalo y vienen las murmuraciones. Los vecinos de la villa con algunos clérigos a la cabeza, se dividen en dos bandos: a un lado están los jugadores empedernidos y al otro los que consideran que los naipes son el mejor invento del demonio.

Don Xacinto de la Hoz, goza del escándalo que empieza a dar sus frutos. No puede contemplar impávido la estultez de los criollos que se pasan las horas entregados al juego del tresillo. Le escandaliza que apuesten grandes sumas de dinero y que muchos jugadores estén en bacarrota y hayan sumido a sus familias en la completa miseria. No puede admitir que, cuando se ven con los bolsillos vacíos, apuesten todo cuanto viene a mano:

—Los muy mentecatos pierden las casas que tienen, las tierras por cultivar, los hatos de ganado, los esclavos negros que compraron para presumir, y ¡es inconcebible! Si tienen una esposa o una hija agraciada, ¡no vacilan en jugarlas...! Debéis saber que las ponen en el tapete, junto al mazo de las cartas, y las juegan como si se tratara de vacas gordas o de ovejas mansas...

Los enemigos del juego acuerdan escribir una carta virulenta al Consejo de Indias para denunciar el bullado asunto. La carta demora, pero llega a manos del rey. El rey no ve con buenos ojos lo que pasa en sus dominios y envía con la premura del caso a sus Visitadores Generales. Los Visitadores Generales demoran, pero llegan. Investigan la denuncia y comprueban la verdad. Reprenden al presidente de la Real Audiencia y le imponen, como escarmiento, una multa de seis mil pesos. Pero una vez recogida la multa, cumplida la misión de enderezar los malos pasos y con los Visitadores Generales en alta mar, no hay impedimento para que los jugadores vuelvan a reunirse con más ímpetu y acudan en mayor número a la quinta que tiene el presidente, cerca de la laguna de Iñaquito, que a su vez, es un discreto retiro donde suele holgar con sus amantes.

El vicio del juego se extiende hasta el interior de los conventos. Los clérigos empiezan a rezar con demasiada premura el Oficio de Vísperas para que les quede más tiempo para el vicio, y no son ajenas al mismo las mujeres de alcurnia y aun las novicias de uno que otro convento, que se valen de las criadas para que vigilen si asoma la abadesa y las sorprendan.

Antes que salga el sol y haga pedazos la penumbra, Mariana sale a misa. En la noche, ha orado por los pecadores y se ha azotado el cuerpo para detener la ira bendita. Se ha ofrecido como la víctima propiciatoria para impedir que llueva fuego sobre la católica ciudad envilecida por el juego.

Camino a la Iglesia de La Compañía, se topa a diario con los trasnochadores que regresan a dormir. Los ve envueltos en sus capas, protegidos del frío con algunas copas de aguardiente. Los mira tropezar en las piedras y sus pisadas resuenan en las calles mojadas y desiertas, mientras ella como una sombra se hace a un lado para darles paso.

* * *

Una tarde, Catalina Alcocer, que conoce los secretos de Mariana, la sorprende escondida en la penumbra de la que fue alcoba de su madre. Su escuálida figura aparece con la espalda desnuda y se azota con ramales de ortigas. Bajo la piel transparente y cubierta de cicatrices se adivinan los peldaños de las costillas descarnadas, la triste hilera de puntos suspensivos que hacen las vértebras dorsales y el alargado hueso de las clavículas atormentadas.

—¡Ña Mariana! ¿Qué hacís? ¿Acaso no te duele?

La niña le explica que le duele, que le duele, sí, y que además le escuece, pero se azota así para calmar la ira divina que ya mismo estalla y acaba con la ciudad.

—Vos no tenís que pagar por los pecados de los otros.

—Debo hacerlo, debo expiar mis pecados y los pecados de las gentes.

—Vos ni siquiera sabís lo que es pecado.

—¿Quién te ha dicho...?

Luego le ruega y la convence que por amor a Dios la azote.

Catalina se resiste a coger el manojo de ortigas. Mariana le suplica, pero los azotes de la india resbalan por la piel como caricias.

—¡Así no! ¡Más duro, más fuerte! —le ruega a cada golpe.

•

Mariana no se detiene en los azotes. Considera que no es penitencia suficiente porque su cuerpo aún resiste y a veces le parece que Dios está ausente o está metido dentro de un sepulcro sellado o acaso a la espera de mayores tormentos. Se vale de nuevos castigos para aniquilar su carne que es la rémora para quedarse donde quiere.

El continuo dolor del costado y las fiebres que asoman por las tardes no impiden, sin embargo, que sea el regocijo de la casa. No conoce el masoquismo porque le envuelve la asepsia. No hay placer en la tortura porque la sensación de dolor está presente. No hay tristeza porque le defiende como una coraza de hierro la alegría.

Los días de desesperación le llegarán más tarde.

Canta acompañándose de la vihuela. Inventa canciones que fluyen como el agua de la pila. Su voz se extiende como una lámina dorada por las paredes encaladas, los criados suspenden sus labores para escucharla, se aviva el color de los geranios, salen de su escondite las pusilánimes violetas, se enciende el rubí de la cresta de los gallos, los ágiles gorriones se aquietan en sus frágiles zancos, las arañas se ovillan en sus patas porque creen que escuchan una nana. Su voz es el trocito de panela que endulza el amargor de las tisanas, apacigua el hambre de los mendigos que esperan a la puerta de la casa y aunque el sol no esté presente, se iluminan los rincones oscuros de la casa.

Un día de Miércoles Santo los Paredes concurren al triste Oficio de Tinieblas. Regresan atribulados y cabizbajos. Las notas del Miserere les llena de congojas. No pueden desprenderse de la enorme culpabilidad de haber nacido, escuchado la voz de la serpiente y comido el trozo de manzana. Llevan el pecado original adherido a la epidermis y pecan cuando aspiran y respiran, cuando se entregan al sueño, cuando la imaginación traspone la punta del cumbrero y llega la contrición a carcomerles las entrañas y el peso del pecado les agobia impidiéndoles la vida.

Mariana y sus sobrinas se han juntado en el último rincón de la huerta, al pie del gallinero. Están muy juntas, arrimadas a la vieja pared, dedicadas a la ingrata faena de hacer cruces. Harán la procesión del Jueves Santo por los corredores de la casa.

Mariana, a la par del Cristo ensangrentado, empezó su viacrucis muy temprano. No dice una palabra, no está sobre la tierra. Apenas se da cuenta que las cruces de carrizo de las niñas no son adecuadas para penitencia porque son livianas. Las niñas saben que no tienen fuerzas para cargar otros maderos, pero se avergüenzan ante la cruz de la tía. Desatan de mala gana los nudos y buscan palos más grandes y pesados. Los atan con soguillas de cabuya y de cuando en cuando discuten, se esconden las soguillas, se pellizcan las manos, arrancan puñados de yerba, se tiran a la cara y se ríen a hurtadillas.

Mariana está ensimismada. De pronto le llega la precognición que se está haciendo carne de su carne. Desciende a la tierra. Mira la vieja pared que está a su espalda y escucha las voces que tejen los silencios más acá de los astros, percibe el rumor de las raíces de los árboles que horadan la tierra en busca de sustento, las conversaciones pías de las abejas que dialogan con las alas y acarrean la gota de miel a los panales, escucha la voz de la pared a la que están arrimadas y se da cuenta que le habla...

Reconoce la voz de la cangahua, de la paja y del agua que le anuncian que llegó la hora. Le dicen que se cansaron de ser pared de gallinero y que se van a tender a ras del suelo. Mariana mira a las niñas. Le parece que sueña. Pero la voz de la pared le implora:

—Mariana, te estoy hablando, hacedme caso...

Entonces se levanta de un salto y dice a las otras:

—¡Venid!

—¿Para qué?

—No hagáis preguntas. Ya veréis qué pasa.

—¿Qué pasa...?

—¡Venid en seguida! ¡No tardéis! ¡Venid al punto!

Las niñas se levantan de mala gana. Mariana las urge. Nunca han visto a la tía fuera de sí, tan apurada. Corren a su lado. Juana pierde el zapato, María se enreda en el atado de soguillas, Sebastiana llega gateando. Al fin las junta y las coloca al lado del brocal del pozo. Las abraza y las protege con su cuerpo, y en ese instante la vieja pared oscila, abre las piernas, se inclina y se desploma en el mismo sitio donde estuvieron sentadas...

El estruendo conmociona a todo el barrio. Las gallinas que estaban empollando cacarean y se escapan. El gallo abre las alas y alista las espuelas. Las tejas del techo se resbalan. La polvareda se encarama cerca de las nubes. Los gorriones salen en estampida de los árboles. Los gusanos se esconden en las oquedades de los troncos. El gato se eriza como un arco, y Doña María Atahualpa y Asampay no demora en colocar una escalera junto a la tapia por la cual se asoma y les grita indignada:

—¡Guambras malcriadas! ¿Qué demonios estáis haciendo al lado de esa pared que es mi pared medianera...? ¿Por qué no os quedáis tranquilas? ¿Qué habéis hecho...? Acaso no se dice que tenéis entre vosotros a una santa...?

Pasa la confusión. Llegan los patrones con los criados. Las niñas cuentan atropelladamente que estaban haciendo cruces para la procesión y que Mariana predijo la catástrofe y las puso a salvo. Entre pregunta y pregunta comentan el milagro. Mariana se niega a responder y busca entre los escombros el madero de su cruz de Jueves Santo.

Al otro día, apenas amanece, hacen un altar para cada una de las catorce estaciones. Mariana coloca un puñado de piedras de cantería y otro de espinas de penco clavadas de punta. Al terminar cada estación e ir a besar el pie del altar, pide a las sobrinas:

—Que me empujéis de golpe, por detrás, para caer encima de las espinas y las piedras.

Ellas obedecen. No deja de ser un juego empujar tantas veces a la querida tía. Arrodillada, cae de bruces, unas veces con los brazos estirados y otras con las manos junto al pecho. Las niñas se disputan por hacerlo. No importa el alboroto impropio de un día santo ni ver cómo se levanta con el rostro magullado y la boca clavada de espinas. Mariana no siente ni escucha nada. Le duelen las espinas incrustadas pero el dolor trasciende la valla del sufrimiento humano cuando se va trasmutando.

Mariana se sabe poseedora de un poder extraño que no atina a explicarse. A pesar de sus cortos años, su mente es demasiado lúcida y su criterio es maduro para darse cuenta de cuándo el poder puede llegar de Dios y ella se puede convertir en su instrumento para hacer lo que hace. Pero al mismo tiempo sabe que hay otra clase de poder que le permite hacer actos extraños, un poder que sale de su propia mente que cada vez tiene más fuerza y genera más raudales de extraña energía.

Ignora como tantos otros que los hilos de la telepatía pueden tenderse de una inteligencia a otra sin que esté de por medio lo que es visible. Nadie le ha dicho, porque nadie sabe, que la hipnosis es un estado semejante a un sueño y que la sugestión es un hecho que permanece latente en cada uno y que a ella se le ha desarrollado de un modo sorprendente gracias al dominio de su voluntad sobre su cuerpo y al amparo de su vida ascética. No puede explicar el mecanismo de sus facultades. Sólo advierte que cuanto más aniquila la enflaquecida carne, el espíritu se ensancha como una sábana que se seca al viento y ocupa todos los espacios e intersticios del tiempo y de la mente.

Tiene que alivianar la materia para que le salgan alas y pueda ver y sentir lo que permanece oculto a los comunes y a ella le sirve para entrar en contacto con lo inaprensible, que es el deleite más grande que conoce.

En ese estado no necesita el peso de la comida en sus entrañas. Se alimenta como los misteriosos faquires de la India, del prana que existe en el aire. Ha descubierto por sus propios medios infantiles lo que nadie le ha dicho que es posible. Es como si hubiera sido la discípula de algún iluminado que pudo comprobar de qué índole está hecha y le hubiera descorrido el velo. Es como si el enigmático y malgeniado Don Xacinto de la Hoz, que no deja de leer libros prohibidos por la Sagrada Congregación del Indice, hubiera llegado a tener una plática con ella, le hubiera comentado de las cosas ocultas que se ignoran en la ciudad franciscana, le hubiera hablado de los antiguos misterios de Eleusis, del poder de la Cábala, de la existencia de los Cátaros y Templarios en la búsqueda del Santo Grial, del poder inusitado de los lamas, de la oculta sabiduría de los chamanes, de la piedra filosofal y todo aquello que aún está prohibido creer y practicar bajo los terribles anatemas y excomuniones.

Don Xacinto de la Hoz sabe en teoría lo que ella experimenta a cada instante. Él sabe que la fe es más fe cuando se corren riesgos; ella se aferra a la fe en que ha nacido. Él ha crecido en una encrucijada de ideas y ha elegido; ella ha nacido en Quito, en el ambiente más conventual y provinciano del siglo XVII. Él ha podido enfrentar y odiar el poder de la Inquisición que protege la pureza de la fe que para él siempre es pura; ella obedece a ciegas y no conoce el odio. Él sabe que es imposible escudriñar las conciencias ajenas porque son impenetrables; ella es la prolongación de la conciencia de sus mayores. Él sabe que, por encima de todo, debe dar tregua a la debilidad humana por la simple razón de que no es divina; ella se ha formado en la creencia de que el cuerpo es la prisión del alma. El temor a Dios, el pánico al infierno, los rezos, las negras sacristías le cortan el desarrollo normal del pensamiento, su mente se estrella entre barreras y sólo atina a castigar su carne.

Mariana puede mirar el alma de las gentes, el aura que circunda el cuerpo cuando se quiere buscar afinidades. Alguna vez se cruza con el viejo que vive frente a su casa. Catalina Alcocer o Paredes que adolece de sordera, le cuenta quién es y cómo vive de espaldas a la Iglesia. Ella cree ver eń su cuerpo encorvado la imagen del propio Satanás y, sin embargo, no puede reprimir una pálida sonrisa cuando pasa por su lado y el viejo se quita el sombrero, le hace una venia y le murmura:

—Buenos días, estrella de la mañana, angelito de Dios, botón de rosa...

* * *

Ha terminado la rutina del día. Es hora de hablar con Dios o con sí misma. Pero Mariana se queda al lado de los suyos porque los Paredes y Flores están enfrascados en la conversa de las erupciones del Pichincha.

—La ciudad es pasto de los terremotos. Fue castigada por la ira bendita en mil quinientos treinta y nueve, en mil quinientos setenta y siete, en mil quinientos ochenta y siete y sin contar los fuertes temblores que se sucedieron uno tras otro.

—Aún están vivos algunos dellos para que cuenten a los hijos y a los nietos todas las calamidades que vivieron las treinta mil almas de Quito que había en ese entonces.

—Cuentan que una columna de humo negro se abrió como un parasol gigante entre relámpagos y truenos, y que no se vio la luz del sol en ocho días.

—¡No es posible!

—El sol salió, pero se quedó oculto tras las nubes de ceniza... La ciudad quedó a oscuras.

—Dicen que al mediodía la gente se alumbraba con espermas... Que llovían piedras al rojo vivo y destrozaban las tejas de todas las techumbres...

—Cuentan que una capa de ceniza ahogó todas las cosechas, y como no quedó ni una brizna de yerba se murieron los ganados...

—Que los pájaros caían muertos en bandadas. Que toda la ciudad quedó en escombros y en tinieblas...

—¡Santo Dios!

—Aseguran que lo más pavoroso de todo fueron los mugidos de las vacas, los aullidos de los perros y los rugidos del volcán que bramaba como mil toros llevados del demonio...

—No lo nombréis.

—Que los cadáveres sin sepultura quedaron tirados en las calles y en los campos y se diezmó la población de indios y mestizos... La hedentina dizque era insoportable...

—¡Virgen Santa!

—¿Por qué murieron sólo indios y mestizos...?

—Porque sus casas fueron las primeras en venirse al suelo.

—Se hicieron procesiones a diario con todas las imágenes de la Virgen María y con todos los santos... Las iglesias estaban repletas... Y no vais a creer, sólo se acallaron las furias volcánicas cuando todo el pueblo de Quito se congregó para ir de romería, con el obispo al frente, hacia el mismo cráter y colocaron la imagen de piedra pintada de Nuestra Señora de los Angeles.

—Nadie habla de ella.

—¡Es verdad!

—Desde entonces, ¡quién creyera!, la santa imagen ha sido olvidada.

—¿Por qué?

—Porque las gentes son malagradecidas.

Marianita se conmueve ante la ingratitud de los quiteños y se cree la llamada para enmendar la falta. Aprovecha la ausencia de su hermana Jerónima para ir de penitencia hacia el cráter. Persuade a sus sobrinas que le acompañen, aunque bien sabe que a ellas les tienta la aventura y no la penitencia. Cogen alguna ropa y salen de la casa.

—Nos quedaremos a vivir allí y para que nadie nos reconozca y nos haga volver *nos zajaremos el rostro con vidrio y nos echaremos tizne en las heridas*.

Mariana, María, Juana y Sebastiana de Casso, con Ana Ruiz y Catalina de Peralta empiezan a subir por las laderas antes de que la lluvia torne resbaloso el sendero. Caminan en alas de la euforia sin dejar de hacer planes:

—Limpiaremos el hueco, cortaremos las ramas, quitaremos las chilcas.

—Diremos a las feas lagartijas que se vistan con escamas blancas y rosadas para que hagan compañía a la Virgen solitaria.

—Mariana, ¿podéis pedir a todas las mariposas que sequen con sus alas las gotas de lluvia de su manto...?

Han caminado unas pocas leguas cuando les sale al paso un toro inmenso de color retinto. Bufa amenazante y hunde las pezuñas en las piedras, un denso vapor se escapa de las fauces. Es seguro que va a embestirlas. Las niñas se asustan y se tiran de cabeza a una zanja.

—Quedáos tranquilas. No tengáis miedo.

Mariana intenta protegerlas. Se adelanta. Se queda a merced de la bestia. Su mirada penetra en la retina de los ojos que echan lumbre. Hay un duelo entrecruzado de miradas y poderes que no pasa inadvertido a las otras niñas que, sin embargo, tiemblan. Apenas pueden creer cuando ven que el animal agacha la testuz, se calma, vuelve las grupas y como un manso cordero se pierde paso a paso en los breñales.

Mariana se muerde los labios. Es verdad que al mirar al toro murmuró de memoria, casi sin pensar lo que decía:

—Santo Dios, Santo Cristo, Santo Inmortal. Líbranos, Señor, de todo mal.

Pero también es cierto que puso toda su energía en la mirada y ordenó al bruto que se fuera. Se sintió como si tuviera puesta encima de su hábito negro la loriga de un guerrero y le enfrentó y ordenó que desapareciera peñas arriba sin causarles daño.

* * *

Sopla el viento helado de las tardes. Un rayo de sol mortecino se filtra por las rendijas de la puerta. Mariana permanece envuelta en su pañolón oscuro y decide que es mejor abrir la puerta y dejar que el sol aparecido a destiempo le caliente la espalda. No se ha de levantar hasta terminar la hebra de seda con que borda un pétalo. Solo piensa en el sol y quiere su calor. Mira la puerta y la puerta oscila, empieza a abrirse de un modo imperceptible como si una mano de aire la empujara, y el rayo de sol entra y se sienta en su espalda. Mariana se confunde...

Oye las risas de las niñas que suben las gradas en tropel. La puerta que se ha abierto sin su mano: es una invitación a que entren y ella está embebida en el bordado porque el pétalo ha salido de la flor y se ha quedado en la tela. Tiene el poder de cerrar la puerta sin dejar la aguja. Mira la puerta y la hoja cuajada de comején se mueve y se cierra sin hacer ruido. Mariana se frota los ojos y se pregunta inquieta:

—¿Estaré soñando...? ¿Seré yo...? ¿Será Dios...? ¿Será el diablo...?

A la noche, se ha concentrado en la oración y sabe que es hora de apagar la vela. Quisiera que se apague. La llama parpadea, se achica, se ladea, pierde fuerzas y desaparece tal como si un dedo húmedo en saliva aplastara el pabilo...

Mariana se agita y se pregunta:

—¿Por qué será que puedo hacer lo que no es posible...? ¿Lo harán también mis sobrinas y no me habrán contado...?

Sabe quién camina por los corredores, quién pasa de largo, quién se detiene, quién se acerca. Sabe que ella, por sí misma, puede hacer actos que no se atreve ni siquiera a comentar con sus sobrinas, peor con Catalina que no oye. No es posible que su Dios, el conocido por la Causa Prima, por el Primer Motor, por el Alfa y el Omega, el terrible Señor de los Ejércitos, baje de su trono y se entretenga con la puerta y la vela de su cuarto.

—No es posible que quien sacó el mundo de la nada, que quien gobierna el universo, que quien da vida a los hombres y animales, hace germinar las plantas, manda al infierno a los malos y se lleva a la gloria a los buenos y me mantiene viva, aunque quisiera estar muerta, tenga que ver con mis caprichos... ¿Seré santa o acaso estaré endemoniada...?

Una vez más confirma angustiada que posee un poder extraño, una fuerza oculta que, según tiene entendido, solo dominan las meigas, unos poderes que saben las hechiceras y las brujas. Acaso —piensa aterrada— que por algún extraño maleficio puede ser adepta del demonio. Duda si sus poderes son privilegios que le hacen desde el cielo o son unas tretas que le tienden del infierno, y debe esconderlas para no defraudar a los que la miran como santa. Mariana se ofusca y se calla. Decide consultar al confesor:

—Decidme, padre mío, ¿qué me pasa...?

—¿Estáis segura de lo que decís? ¿No son alucinaciones...? ¿La idea de santidad no se os ha subido a la cabeza...?

—No, padre mío, no.

—Debéis orar con más fe...

La respuesta que recibe no logra convencerla. Duda:

—¿Serán tentaciones del demonio, locuras mías, alucinaciones de mi mente débil, achaques de mi cuerpo enfermo...?

Percibe que no toman en serio sus palabras y ella duda de todas las respuestas. Rechaza la duda, pero duda. Vive atormentada, sin saber que su culpa es la culpa de haber nacido con siglos de adelanto.

* * *

Tiene siete años. Antes de morir la madre le pone en manos de su confesor, el jesuita español Juan de Camacho, quien se empeña en guiarle y modelarle bajo la férrea disciplina de los Ejercicios Espirituales del severo y gentilhombre, capitán Ignacio de Loyola.

Pese a sus pocos años, su madurez le permite leer las obras de Santa Teresa de Avila: *El libro de su vida*, de las Fundaciones, *Caminos de perfección* y *Las moradas* son sus preferidos. Es de la reformadora del Carmelo de quien recibe la influencia de la palabra *esposo* cuando trata de explicarse a sí misma y a los que le escuchan una búsqueda de unión apasionada de su ser con la divinidad. En la simpleza de su medio aséptico, ajeno a lo que no sea su misión de santidad, ignora la connotación que la palabra implica, la repite porque es la fórmula usual y la usa limpia del morbo o de la histeria que se trasluce en las vidas de otras tantas mujeres que están en los altares.

Don Xacinto de la Hoz ha hecho amistad con algunos frailes con quienes entabla largas discusiones que siempre desembocan en el tema religioso, y aunque nunca se acerca a Mariana, es quien más, con sólo verla pasar cada mañana camino al templo de La Compañía, puede penetrar en el misterio de su vida. En sus discusiones repite con frecuencia:

—Las tenidas como santas, son mujeres de almas atormentadas por el fanatismo. He hojeado sus vidas —porque leo todo cuanto me cae en la mano—, y las veo hundidas en una santidad que solo convence a los estólidos quienes no perciben el trasfondo empalagoso en el que está presente una materia que pesa demasiado, una carne que pide a gritos su satisfacción humana, un cúmulo de pasiones disfrazadas que no van acordes con el misticismo, pero lo que pasa con esa niña a quien consideráis santa, es diferente...

Mariana ha leído que Teresa de Avila pasó su juventud embebida en los libros de caballería.

—¿Cómo serán aquéllos —se pregunta— si le dieron más gusto que la vida de los santos...?

Lo que más le impacta de la vida de la santa es la escapada con su hermano Rodrigo a tierra de moros para ser sacrificada, y quiere repetir la hazaña en compañía de las sobrinas.

La víspera del viaje, entran discretamente a la cocina. La india Catalina que tiene la obligación de estar junto a Mariana, no sospecha nada fuera de lo usual cuando las ve atareadas frente a los fogones. Ve la fuente con huevos duros y bizcochos y piensa que es para atenuar la inveterada hambruna de los pobres. En medio de una callada excitación preparan un gran matalotaje, lo envuelven en un mantel y lo llevan al cuarto donde duermen.

—Cuando nuestros padres se retiren y nos crean dormidas, nos juntaremos y saldremos a la calle sin hacer ruido.

—Iremos a oscuras, tomadas de la mano, sin que nos importe el frío ni la lluvia y no tendremos miedo.

—Caminaremos por las selvas, no nos picarán las alimañas. Subiremos a las montañas cubiertas de nieve. Cruzaremos los ríos y torrentes. Llegaremos a la orilla del mar y entonces aparecerá una barca que nos llevará directo a tierra de moros.

—Y cuando lleguemos allá, por amor a Cristo hemos de ser sacrificadas.

—Aunque, yo no quiero morirme todavía...

—Yo, tampoco.

—¿No queréis la palma del martirio...?

—Sí, pero...

A la mañana siguiente, Catalina busca y no encuentra la llave de la puerta de la calle. Los aguateros llegan temprano y esperan que les abran bajo la lluvia y el peso de los pondos.

—No parece la llave que yo mesma hice de poner aquí con el cordón trenzado.

Va apurada de un sitio a otro sitio invocando al poderoso San Antonio que es el encargado de hacer que aparezca lo que está perdido. Entre idas y venidas, ve a las niñas y no puede creer lo que está viendo:

—¡Ave María Purísima! ¿No se han dormido en sus camas?

Las encuentra acostadas en el estrado de la sala. Están vestidas con ropas de viaje, listas para salir, pero vencidas por el sueño. Están dormidas entre las alforjas. Ve el matalotaje envuelto en el mantel y comprende todo. Debe dar aviso a los patrones. Toca la puerta de la alcoba grande. Les despierta y les cuenta lo que ha visto.

—Vengan a ver, sus mercedes, lo que digo.

Los aguateros siguen con el tan tan del puño en forma de higa sobre la chapa de bronce. Catalina sigue en busca de la llave y al fin ve el cordón trenzado que sale del bolsillo de Mariana, que nunca duerme y ahora, inexplicablemente, está dormida:

—Ña Mariana y las otras querían escaparse...

Doña Jerónima y Don Cosme de Casso, enfundados en sus largos camisones de dormir y con las gorras ladeadas, ven la escena, se persignan, caen de rodillas y agradecen a Dios por el milagro de impedir que se escaparan al mandarles un sueño tan pesado.

Mariana persiste en el empeño de hacer apostolado. Sabe que los padres jesuitas tienen sus misiones florecientes en el Amazonas y en Mainas. Oye hablar de la feracidad de la selva donde hasta las conversiones de idólatras son feraces. Los jesuitas han logrado que más de ciento ocho mil indígenas reciban las aguas bautismales.

—¡Ciento ocho mil indios salvados de las llamas del infierno!

Para suerte de ella, Mainas se encuentra en el mismo territorio de la Real Audiencia, ir allá no ofrece tantos peligros como el frustrado viaje a tierra de moros. Para llegar a la selva no es necesario cruzar el mar ni esperar que les recoja ninguna barca.

Mariana prepara un segundo viaje con las sobrinas que siempre están dispuestas a secundarle porque se aburren, porque son niñas, porque la tía siempre tiene ideas especiales y se asfixian entre las paredes de la casa. Esta vez no irán en busca de martirio sino a convertir a *los indios salvajes*. Irán a predicarles su propio evangelio de cruz sin espada.

—Al lado de Mariana, no tendremos miedo de los enormes caimanes que se duermen en el agua después de tragarse a las gentes de un bocado.

—Ni a las culebras venenosas que pican y matan en el acto.

—Tampoco nos importa la presencia de los monos de colas enroscadas que tienen semejanza con el diablo.

—Ni las legiones de hormigas coloradas que arrasan con todo lo que encuentran a su paso.

—Iremos a predicar a los nativos acerca de un Dios que siendo el Creador del Mundo murió en una cruz para salvarnos del infierno.

La víspera del viaje se mantiene despierta, no duerme, se queda sentada, ni siquiera se abstrae. A la luz de una vela, con temor de que el sueño le juegue otra mala pasada, amanece contando las horas, rezando un rosario tras otro, bordando y hojeando la vida de Santa Teresa. Antes que suenen las campanas y cuando el pregón de Matías Sandoval aún se escucha, despierta a las sobrinas, se santiguan y salen.

Bajan las gradas en puntillas, atraviesan el zaguán oscuro y al acercarse a la puerta se topan con un bulto.

—¡No podemos salir!

—¡Santa María de Copacabana! ¡Estamos fritas!

Don Cosme de Casso ha mandado que un huasicama custodie la puerta y el indio, obediente, metido en su poncho, duerme sentado, apoyado en la puerta, con la cabeza caída en las rodillas, sueña los sueños que agobian y matan, y cuando siente la presencia de las niñas, se despierta y da la voz de alarma:

—¡Despertate patrón Cosme, despertate! ¡Otra vez tus guaguas intentan escaparse!

Los padres adoptivos de Mariana no pueden tolerar más escapadas. Consideran que ya es suficiente y es de urgencia evitar los peligros y las consecuencias que pueden tener las niñas fuera de la casa. Lo más acertado es cumplir en el acto el deseo de Mariana que ha pedido en repetidas ocasiones que le permitan entrar a uno de los cuatro monasterios que existen en la ciudad de Quito, ansía tomar el hábito y se ha preparado para el claustro desde que le asignaron el papel de santa.

Los padres consultan a los jesuitas, pero su primer confesor, el andaluz Juan de Camacho, sin cuyo consentimiento no se hace nada, se opone de un modo terminante. Arguye que no es la vida religiosa del claustro lo mejor para la niña, sino la vida de perfección en el mundo, al lado de los suyos. Repite una y otra vez:

—*Qué bien puede servir a Dios desde su casa.*

Don Cosme y Doña Jerónima, sin embargo, no son sordos a las súplicas ni a las lágrimas fervientes de la niña que suplica de rodillas que la manden al convento. Hacen diligencias ante las monjas de Santa Clara. Las monjas demoran la respuesta. Recurren, a su pesar, a las monjas del convento de Santa Catalina, sabiendo que las novicias no tienen la alcurnia de las otras. Les dicen que Mariana tiene lista la dote y el ajuar de monja. La priora se entusiasma, pero al día siguiente manda a decir que no da el visto bueno.

Mariana se desploma.

La ciudad de Quito vive pendiente de los actos de quien sabe que es la santa de su propiedad y se entera de la oposición del confesor y de las negativas de las monjas. Los comentarios van y vienen.

Cuando le escuecen los ojos después de tantas lecturas, Don Xacinto de la Hoz deja a un lado el libro y se entretiene en mirar desde su ventana el continuo ajetreo que hay en la casa de al lado, que es la prisión de Santa Marta, donde van a parar las mujeres de la mala vida, y de paso, atisba todo cuanto se refiere a la niña cuya casa queda al frente de la suya.

Le cuentan los sinsabores de la niña y la negativa de las monjas influenciadas por el confesor. La gente comenta que no es ningún impedimento su salud precaria porque puede entrar a cualquier convento acompañada de la india Catalina, y si es del caso, de una o más criadas. Quiere confirmar una sospecha que le viene y sale apresurado de su casa. Va a la biblioteca del presidente Morga, busca un folleto que sabe que está escondido en el fondo de un estante. Se trata de la «Mónita Secreta de los Jesuitas», copia de un antiguo documento publicado en Polonia. Lo encuentra, se acomoda en un estrado y empieza a leer.

Al llegar al capítulo XIV que habla de «Cómo se ha de tratar a las monjas y a las beatas», da un salto. Hasta entonces, ha tenido sus dudas y ha pensado que acaso se trata de un libelo por demás difamante contra la Orden Jesuita, pero las circunstancias del momento y otros hilos que ha ido atando a lo largo de sus años y andanzas, confirman lo contrario. Lee una y otra vez el mismo párrafo:

«Por otra parte se ha de prohibir con todo rigor a nuestras devotas que frecuenten los monasterios de las monjas, para que no acontezca que agradándoles más aquella vida, y prefiriéndola, quede la Compañía de este modo, privada de la expectativa de todos los bienes que las tales devotas poseyeren...»

Se sume en cavilaciones y recuerdos. Influenciado, desde que se embarcó rumbo a las Indias por el espíritu renacentista que conmueve y estremece al Viejo Mundo y alejado de la fe de los suyos, para él tiene tanto valor el alma como el cuerpo. No concibe que la búsqueda de la perfección espiritual sea a costa del aniquilamiento de la carne. Tampoco concibe que el Ser Supremo, si es que existe dentro de su agnosticismo, sea el terrible Jehová de los desiertos, hecho para el gusto de las tribus nómadas, ni tampoco el que necesita de sangre y sacrificios para acrecentar su gloria. Golpea la mesa con el puño. Empieza a caminar por la habitación a grandes zancadas que retumban y maldice su impotencia ante el desamparo de la niña.

—No hay derecho —repite una y otra vez—. Se trata de una tierna criatura por demás atormentada y ya es bastante lo que han hecho con su vida.

En toda la ciudad no hay un alma con quien pueda comentar lo que sucede con Mariana. El prior de los dominicos le ha prohibido su entrada al convento y los frailes le consideran pernicioso. Siente por ella la más entrañable de las ternuras y la sabe indefensa, a merced del fanatismo religioso. Pero debe callar para protegerse. Ya es suficiente, ante las miradas de los Familiares de la Inquisición de Quito, el que todos los vecinos sepan y comenten que jamás asiste a ninguna de las tantas iglesias, que vive en público amancebamiento con una negra llegada desde Ibarra, que frecuenta los garitos y que tiene ideas condenadas por la Santa Madre Iglesia. Siente que se ahoga y sin ponerse el sombrero, abre la puerta y sale a caminar bajo la lluvia.

* * *

Los Familiares del Santo Oficio ignoran todo lo que concierne a la vida de Xacinto de la Hoz antes de su llegada a Quito. Algunos presumen que debió vestir sotana por los latines que se le escapan; otros suponen que debió ser expulsado o dejó por propia voluntad la vida religiosa. No es posible acusarle de hereje porque el certificado de ser cristiano viejo tiene los respectivos sellos. No pueden arrancarle ninguna confesión bajo tortura porque el poderoso Don Antonio de Morga le protege. Advierten que no tiene amistades, es un hombre enigmático, tan empeñado en esconder su pasado que ni siquiera ha podido contraer matrimonio, lo que no ha impedido que engendrara alguna prole de color oscuro a la cual ha negado su apellido. La única evidencia en su contra es la constante crítica al gobierno de su Real Majestad, que tiene poco peso porque no es criollo; las diatribas feroces a los clérigos disolutos y a las monjas veleidosas que tampoco importan porque toda la ciudad hace lo mismo, pero lo que no puede tolerar el Santo Oficio es que ponga en tela de juicio los dogmas, los preceptos y todo cuanto atañe a la Santa Madre Iglesia, que expresa las pocas veces que abre la boca.

Los Familiares de la Inquisición no le pierden pisada, pero es hábil y se sabe protegido. Su nombre, sin embargo, está ligado al de tantos ancianos desvalidos como él, que no fueron desterrados y que aún viven sin levantar cabeza, pero subsisten de un modo miserable desde que perdieron encomiendas, herencias y fortunas al oponerse al mandato de Felipe II, el Prudente, en la Revolución de las Alcabalas.

En ese entonces, Xacinto de la Hoz no perdió nada, porque nada tenía a la vista de las autoridades. La bolsa de ducados se agotaba aprisa y lo poco que quedaba lo tenía guardado bajo una tabla del piso de su oscuro cuarto.

Corría el año de mil quinientos noventa y dos, era joven, estaba recién llegado, buscaba aventuras, y sin medir las consecuencias, se puso al lado de los insurgentes y se dio gusto conspirando.

Todas las ciudades dominadas por la corona española aceptaron sin protesta el pago del dos por ciento de impuesto a las ventas. Pero la ciudad de

Quito, apenas recibió la Cédula Real rechazó el mandato y optó por levantarse en armas. Xacinto de la Hoz tuvo por primera vez en su vida, un arma en las manos. Blancos, mestizos y aun españoles como él, se enardecieron y se lanzaron a las calles dispuestos a asesinar a los oidores, encargados de que se cumpliera el real mandato. Los oidores se aterraron ante el pueblo enfurecido y entre otras argucias optaron por vestirse con los hábitos de frailes y de monjas, salir por la noche de sus escondites y guarecerse en los conventos, mientras el pueblo no cesaba de buscarlos y de gritar consignas.

Xacinto de la Hoz tuvo la ocurrencia de usar un disfraz de clérigo para espiar en el convento de los franciscanos, pero apenas traspuso la portería, fue descubierto y en castigo por usar hábito ajeno y por meterse donde no debía, el prior ordenó que le quitaran el hábito, le cortaran la barba, le hicieran una gran tonsura y le despacharan a la intemperie en ropas íntimas. Pasó frío y una gran vergüenza, pero el escarmiento no le sirvió de mucho y continuó al lado de los insurrectos.

El Cabildo quiteño había comisionado a Alonso de Bellido para que presentara la protesta formal a las autoridades, pero la respuesta que recibió fue la cárcel, con lo cual el pueblo llegó al límite de su furia.

Xacinto de la Hoz, sin su barba negra y con su enorme tonsura no pudo permanecer encerrado esperando que le naciera otra barba y otro pelo. En complicidad con la posadera se vistió con sus ropas y salieron juntos a unirse con las mujeres de toda condición que tomaron parte activa en la revuelta.

—Quedáis mejor vestido y más galano con mis prendas que con las vuestras.

El tumulto de mujeres armadas de palos, piedras y tijeras, llegó a la cárcel. Se enfrentó a los guardias, y con rasguños y mordiscos no paró hasta liberar a Bellido.

La guerra civil era inminente e imposible controlarla. El presidente de la Real Audiencia de ese entonces pidió ayuda a Lima. El virrey envió sus tropas que llegaron en marchas forzadas hasta cerca de Riobamba con la orden de cortar las cabezas de los subversivos. Éstos no perdieron tiempo y se dieron a la gran tarea de buscar un rey criollo. El elegido entre tantos fue Sancho de la Carrera, que aún no había cumplido los veinte años, pero era bien parecido y con prestancia para llevar manto y corona, aunque sin agallas para el cargo. Como le entrara un miedo sin precedentes y se negara a acatar el mandato del pueblo soberano, Xacinto de la Hoz y los quiteños descargaron sus rencores en el fallido rey. Le montaron en el jumento más viejo que encontraron y se dieron gusto desnudándole de cintura para arriba, paseándole por las calles de la ciudad y azotándole con pencas de cabuya.

La afrenta que pasó el fallido rey le sirvió más adelante para que Felipe II, en agradecimiento a su lealtad, le diera el nombramiento de Alférez Real para él y sus descendientes, y además le concediera un escudo de armas con las mismas ignominiosas pencas con que fue azotado, privilegio que sólo llegaron a usar los nietos de sus nietos.

La ciudad de Quito vivió los mejores momentos de su historia. Xacinto de la Hoz se olvidó de que era español y estuvo noche y día al lado de los amotinados. Se presentaron algunas escaramuzas con muertos y heridos de ambos bandos. En una de ellas, Alonso de Bellido recibió un disparo a mansalva y murió al poco tiempo, no tanto por la bala asesina sino por la mala curación de un médico portugués conocido como partidario de la monarquía. Al conocer los detalles de su muerte, el pueblo quiteño se enfureció aún más. Se tocaron a rebato las campanas de todas las iglesias y conventos. Los ciudadanos incontenibles, armados hasta los dientes, fueron a pedir explicaciones a la casa de las Arcas Reales, morada del presidente. Exigieron que se les abrieran las puertas y se les recibiera en audiencia.

Cuando el pueblo estuvo a punto de forzar aldabas y candados, las puertas se abrieron de par en par. Se dispusieron a entrar, pero se detuvieron atónitos ante el insólito espectáculo del jesuita Francisco Galavís que apareció vestido con sus ornamentos sagrados, armado con el Santísimo Sacramento en la rica custodia de oro y pedrerías, y gritando:

—Vade retro, Satanás.

Ante lo cual, el pueblo optó por caer de rodillas...

Xacinto de la Hoz se quedó sin habla...

Bien sabe el jesuita Camacho el tesoro que tiene en sus manos, él es el responsable de un ser que está predestinado a los altares. No todos los días aparece una criatura con una santidad tan definida y acendrada. Conoce la potencialidad espiritual y la precocidad desconcertante de Mariana y quiere dejarla encaminada en el arduo camino que ha emprendido, antes de que él, predispuesto con sus hermanos en religión, abandone la Orden y comience a peregrinar por todo el territorio hasta refugiarse entre los indígenas de Mainas.

Antes de que le llegue la orden de expulsión, no le importa que todas las mañanas, durante dos horas, gaste su tiempo de rector de la Universidad de San Gregorio en confesar a una niñita, mientras los feligreses murmuran entre envidias y reclamos:

—¿Habráse visto tal palique...?

—¿Pensará que nuestros pecados carecen de importancia...?

El presidente, Don Antonio de Morga, que ha pagado diez mil pesos por ocupar su cargo, trae una carga de pecados mortales y otros de menor cuantía, y espera desde hace rato que se digne abrir la reja del otro lado y le escuche en confesión. Le urge decirle que ha enmendado sus faltas y ha logrado acallar los comentarios malévolos al proponerle a su amante, Francisca de Tapia y Calderón, que le dará por esposo a Sebastián de Bobadilla. Por supuesto espera que le absuelva, mientras estruja molesto su sombrero de piel de castor y golpea el piso con su bastón de ébano y puño de cabeza de perro forjado en plata y con dos gruesos rubíes por ojos.

La larga fila de los penitentes que esperan el perdón de sus pecados, al ver a la niña arrodillada tras esas rejas, se santiguan con fingida paciencia y con los ojos en blanco van en busca de otro.

La persecución de los hermanos de su propia Orden se agiganta. El padre Juan de Camacho es expulsado de Quito, privado de sus altas funciones de Doctor en Teología y queda relegado a ser un simple administrador de las haciendas jesuitas, sin que nadie, ni siquiera el entrometido Xacinto de la Hoz se percate de los secretos ignacianos.

Mariana hace su Primera Comunión y al mismo tiempo jura los votos de pobreza, castidad y obediencia. Los garrapatea en un papel, pone su firma y los entrega a su confesor. Es un voto de pobreza que no importa porque no tiene apego a ningún objeto ajeno al expolio de su cuerpo. Es un voto de castidad que no cuenta porque ha aprendido a dominar las mínimas apetencias de la carne, y las fugaces tentaciones del demonio pasan por su mente sin dejar rastro, pero el voto de obediencia le pesará y le pesa.

Antes de dejar el convento, Juan de Camacho traslada a su hija espiritual al padre Antonio Manosalvas, lamentando que no existan conventos de monjas jesuitas. Se escuda en la obediencia a sus superiores y acaso se disculpa diciendo que conoce de cerca las extravagancias y las locas libertades de las tantas abadesas que rigen los conventos quiteños con manos de hierro y de las otras que ostentan el poder con manos ociosas, acicaladas de anillos, de guantes de seda y otras vanidades que traspasan con escándalo las tapias de los conventos y son la comidilla diaria de las gentes. No puede negar que sabe de los cortos alcances y de las boberías de ciertas prioras que ocupan puestos de mando gracias a sus abolengos y prebendas. Considera que Mariana no puede entrar a ninguno de los conventos quiteños. El camino de la niña está trazado de antemano. Vestirá toda su vida el hábito de los jesuitas. Todos se acostumbrarán a verla con la sotana negra hasta los talones, cerrada, sin cuello, masculina, y en el centro del pecho el escudo bordado con el IESUS.

Durante su corta vida, todos sus confesores, en número de nueve, serán jesuitas y ella, con su voto de obediencia a cuestas, de esa obediencia ignaciana, que recomienda: «sed cadáveres en manos de vuestros superiores», tendrá la docilidad blanda de la cera, la suavidad de la seda verde que hila el gusano dentro del capullo, la mansedumbre de la masa del pan de Pascua leudado entre suspiros y sollozos.

Se pone en manos del nuevo director espiritual y empieza una nueva etapa de su corta vida.

No se sabe si fue por la omnímoda obediencia, por la premura del viaje, o porque no hubo otro disponible, que el padre Juan de Camacho le impone como confesor al padre Antonio Manosalvas que acaba de consagrarse como sacerdote y es apenas cuatro años mayor que ella.

Don Xacinto de la Hoz saca cuentas y murmura:

—Hube de conocer a esta niña, de pie, tras la ventana, cuando miraba la fila de mendigos, entonces debió estar por los tres o cuatro años... Es decir, que ahora debe andar por los catorce. El padre Manosalvas se ordenó como sacerdote a los dieciocho... Es decir que ahora debe andar por los veinte años... ¡Qué locura! ¡Son tan jóvenes...! ¡Las cosas que me ha tocado ver en esta villa!

El joven sacerdote empieza a confesarle y a guiarle. No pasa inadvertido para Mariana el marcado contraste entre la experiencia y la autoridad del anterior con la mocedad y las vacilaciones del nuevo director espiritual. Entre los dos hay un abismo, pero obedece como siempre. El padre Manosalvas a su vez, no deja de reconocer la superioridad espiritual de su pupila, se abisma ante la solidez de sus argumentos y algunas veces es él quien se humilla para pedirle algún consejo. Pero no existen mayores discrepancias en los coloquios espirituales. Se trata de dos almas a quienes les es posible adentrarse en los meandros del misticismo. Los dos se compenetran, y se compenetran demasiado...

La primera medida acertada que toma el joven padre Manosalvas es pedir a los padres adoptivos que le den un lugar solitario para que su intimidad no sea hollada y cumpla su misión de santidad. Mariana necesita un espacio adecuado para su nuevo vivir monástico y ellos la conceden con largueza en la casa solariega donde sobra espacio. Le dan un pequeño apartamento aislado que ocupaba de vez en cuando un viejo allegado, eterno transeúnte de los pueblos vecinos que nadie logró saber qué hacía en sus andanzas.

El viejo desaparece para siempre desde una madrugada en la que se topa con la niña y sin reconocerle, cuando pasa por su lado, le aborda, se abre la capa con violencia y pone al descubierto sus vergüenzas.

Mariana no huye, ni siquiera cierra los ojos, ni aparta la mirada, ni percibe el descaro. Solo habla su inocencia:

—¡Pobre Don Camilo! ¿Esas hinchazones que tenéis son bubas...? Debéis sufrir muchos dolores. Pedidle a Nuestra Señora que os sane. Yo rogaré por vos...

El pobre viejo, que adolece de oscuras perversiones, reconoce a la niña. Se cierra violentamente la capa. Se aturde. Se acoquina. Emprende la retirada, y desde entonces se pierde para siempre en los extensos territorios de la Real Audiencia.

Mariana pide permiso a su nuevo director espiritual para redoblar sus penitencias. Él no está de acuerdo, pero los irrebatibles argumentos en boga acerca de la superioridad el alma sobre el cuerpo, le convencen.

Mariana se vale de la indiecita sorda para poner a la vista de todos *una cama vestida de limpio* con el colchón de paja paramera que se usa y las *sábanas de ruan de Cofre*, pero bajo el colchón esconde a las miradas impertinentes una tosca escalera de siete balaustres, sobre la cual se acuesta con un tronco que hace las veces de almohada. A partir de entonces, va restando cada vez más horas de sueño hasta llegar al extremo de no dormir hasta al final de sus días.

El padre Manosalvas no ve con entera satisfacción el círculo de ojeras azuladas que cada vez se agrandan. Se empavorece ante el pequeño cuerpo cadavérico con la piel adherida a los huesos y el color macilento de la cara. Le duelen los prolongados y rigurosos ayunos y le manda que coma al menos una onza de pan cada mañana. Mariana obedece. Ella misma se empeña en amasar su pan en la vieja artesa y cuando va a echar una pizca de sal, prefiere agregar a la masa yerbas amargas y un puñado de ceniza.

El confesor le ordena que por penitencia se tome *tres huevos frescos asados*. Mariana vence la repugnancia y obedece. Con un *cuchillo quita las cáscaras y las tira detrás de un cancel*. Traga la penitencia que le sabe más amarga que la desgarradura de la carne. Su estómago reseco, con dureza de piedra y su inveterada anorexia rechazan el alimento. Pasa tres días de tormento. El amargor de la bilis le escuece el esófago y el mareo le impide levantarse. El confesor, preocupado, le hace una visita y ella le pide que le dé permiso para devolver los huevos. El padre Manosalvas adivina los estertores de su estómago y accede.

Más de siete testigos presenciales declaran años más tarde, cuando se inicia el proceso de su beatificación, bajo solemne juramento, que ven salir los huevos con las yemas intactas. Juran con la mano sobre los textos sagrados y ante las más altas autoridades religiosas de la época, que ven cómo la santa hace una seña y cómo las cáscaras *salen saltando de detrás del cancel*, cómo se unen las yemas a las claras, se meten en las cáscaras y se pierden de vista tras la puerta...

Las declaraciones de los testigos se envían a Roma en un enorme mamotreto que sufre innumerables vicisitudes y al fin sirven de base para colocarla en los altares como Beata. Mariana, ajena a su futuro, con el estómago aliviado, sonríe agradecida al padre Manosalvas que no sale de su asombro, mientras busca las palabras adecuadas para tratar de convencerle de que no ha visto ningún prodigio.

—Os juro, padre mío que no se trata de ningún milagro.

Él repite:

—Si no es milagro, entonces decidme, ¿qué es?

Mariana no lo sabe, y lo que es más, le urge que sea él quien le dé una respuesta. Empieza otra clase de agonía. Cae de rodillas y le ruega que le diga y le convenza que no está atrapada en la hechicería ni está en concierto con el diablo. El joven sacerdote le asegura que ella está al otro lado de la magia y de todas las tretas del maligno, pero no logra convencerla empleando otra clase de argumentos que le calmen porque la palabra telequinesia aún no es del dominio del siglo XVII.

La pobre criatura atormentada por la duda se exprime la cabeza con las manos crispadas y sus ojos se vuelven al letrero colocado a la entrada, en la parte más visible de su cuarto: *Dios te perdone, Mariana*.

Son cuatro palabras escritas entre los temblores y las calenturas del frágil cuerpo y con la tenacidad de un alma con temple acerado, están fraguadas con lágrimas, escritas a la medianoche cuando todos duermen, cuando el silencio y las sombras confunden el límite de la entelequia con la realidad. Ha escrito pidiendo a los ángeles la pluma de un ala, pidiendo en un grito a la Virgen la fuerza de un mártir y ha hecho a un lado, cerrado y sellado los cauces normales de vida.

La india Catalina penetra como un bólido en el cuarto vedado de Mariana y le cuenta, temblando de miedo, que en el último cuarto del traspatio, donde se amontonan los trastos inservibles y hacen nido los ratones, hay un esqueleto de verdad.

—¿De perro o de gato? —pregunta la niña sin nada de interés.

—De cristiano, ña, de cristiano. Le asegura, y le hala de la mano para que le acompañe a verle:

—¡Vení, vení a verle con tus propios ojos!

Es verdad. Hay un esqueleto metido en una caja, y aunque le cubren espesas telarañas está en buen estado y no huele mal. Los huesos han sido limpiados y asegurados con alambres. Es fácil llevarle a su cuarto. Catalina pierde el miedo y ayuda a transportarlo en medio de la curiosidad de las sobrinas que quieren tocarlo y hasta jugar con él. Entre todas les visten con el sayal franciscano que la niña conserva para el día en que se muera, y lo colocan en la nueva morada, tras la puerta.

Para Mariana no es un espectáculo macabro, es el realismo auténtico que se refleja en cada uno de sus actos. Quiere tener presente aquello que se dice a cada instante: eres polvo y en polvo te convertirás. Además, es la moda de la época: los escritores, filósofos, pensadores y aprendices de santos acostumbran colocar en su mesa de trabajo una calavera. Unos la usan de tintero o para acariciar el cráneo mientras piensan, otros para que les recuerde las postrimerías de la carne.

Pero Mariana no tiene mesa de trabajo, la misión que se ha impuesto es la de perfeccionar a diario sus facultades de integración con lo infinito para agradar a Dios. Ante el continuo mandato de cada uno de sus confesores que le ordenan, uno tras otro, que escriba los pormenores de su vida, lo intenta muchas veces, pero su humildad y autenticidad le impiden. Quiere obedecer y cada vez fracasa en el intento.

Su tiempo es demasiado precioso para hilvanar palabras, para coger la pluma y desnudarse el alma al pensar en los posibles lectores de su vida. Todo cuanto hace por propia voluntad le parece normal y cree que carece de interés para otros. No tiene sentido que sus secretos se difundan y no quiere ni puede entender que dentro de ella hay un poder inexplicable.

En una esquina oscura, en el último rincón del aposento, esconde una cruz hecha por ella misma, a su medida. En la cabecera ha logrado enclavar una argolla que sirve para atar *el cadejo de cabellos que se deja en la frente* porque el resto del pelo se lo corta cada año y hace una trenza para ofrendar a las tantas imágenes; en los brazos del palo menor ha puesto otras argollas de soga que sirven para pasar los brazos.

En su pobreza franciscana el único objeto de valor que conserva a su lado es un pequeño costurero de madera taraceada que permanece al pie de la cruz. El costurero es herencia de su madre, pero no lo conserva por eso, sino porque le es necesario.

No pasa inadvertido a la mirada zahorí de la india Catalina que lo tiene porque es lo más adecuado para subirse sobre él, y cuando queda colgada, lo aparta con un movimiento del pie.

Amarrada, descoyuntada, suspendida entre el cielo y la tierra, sin cuerpo ni aliento, se queda hasta que aparece el alba. El sol se esconderá detrás de la nube más negra y la nube romperá a llorar en aguacero. Los pájaros erizarán las plumas, se negarán a cantar y clavarán los picos en los troncos de los árboles. Su Angel de la Guarda se convulsionará y se le caerán las alas como trapos. Los geranios del patio perderán sus matices. Las pequeñas arañas equivocarán el tejido de sus telas y empezarán a tejer otras, en un sitio lejano.

* * *

A raíz del contacto con el padre Manosalvas, empieza la época más angustiosa de su vida. Es el más largo y doloroso viacrucis. Ya no ríe ni canta ni llama a las otras niñas para hacer procesiones por los corredores de la casa. Ha perdido la alegría espiritual que es el bálsamo instantáneo cuando en su cuerpo se hunden las espinas que corta de los pencos, las tachuelas que manda recoger a la india Catalina de los muebles viejos, los clavos que manda sacar de las maderas podridas, el cilicio que no se quita nunca, hasta que *la carne le crece por entre los huecos del rallo*.

Son días trágicos en los que experimenta el mayor de los suplicios porque no es su voluntad ni su deseo quien los inventa, son las circunstancias ajenas sobre las cuales se sabe impotente y en el mayor desamparo. Se halla aislada en el vacío, sola, en la soledad imponderable de lo cósmico. Le parece que el cielo se hubiera trasladado a otra galaxia y en los peores momentos hasta duda si es un invento de los hombres. Ya no escucha pronunciar su nombre ni se sumerge en la comunión íntima con el Ser al que ofrenda íntegra su vida con el pequeño atado de sus huesos, con su piel abierta en cardenales, surcada de hematomas, con el puñado de cartílagos exhaustos, con cada uno de sus órganos deshechos, con la ardiente sed de la hidropesía y el dolor del costado que cada vez se hace más agudo en la ignorada tuberculosis galopante.

—¿Dónde estáis, Dios mío? ¿Por qué, por qué me castigáis desta manera...?

Redobla la tenacidad de los martirios por ver si a través de ellos recobra la perdida calma. El nuevo confesor le escucha absorto y trata de sacarle de ese infierno, pero su voz y sus consejos no le alivian nada, al contrario, le sumen en sensaciones raras. En sus visiones, la figura ascética de él, sustituye a la del Dios de los truenos y relámpagos, y las cavilaciones sin fin le desconciertan. Ya no es la mártir ni la santa ni es Mariana. Ha llegado al punto culminante de la duda desde donde empieza a parecerle que llevar cilicios, embarcarse en la oración, dejar de comer y de beber, carece de sentido. Ya no es el ser que asumió la búsqueda de la perfección y la santidad como un privilegio que le mandaron desde el cielo, ahora es el ser que existe sobre la tierra sin un sentido definido y no sirve para nada.

—No sé qué hice ni qué dejé de hacer para merecer este castigo...

En tal sequedad espiritual, sumida en su propio infierno, pasa una noche más. Convalece la triste mañana. Suenan las campanas que llaman a la primera misa en la cercana iglesia. Se viste. Sobre las heridas abiertas, se pone un sayal hecho de cerdas y se amarra a la cintura un jubón donde ha cosido unos cuantos cardos. Se cubre con el hábito negro de Hija de la Compañía de Jesús. Se amarra un pañuelo blanco en la frente para que no quede al descubierto la hilera de costras que le ha dejado el capacete de puntas de hierro que se pone en la cabeza. Se coloca el manto negro. Se calza sus zapatos y revisa que en cada uno de ellos no falte ni uno solo de los cinco garbanzos con que acostumbra caminar. Agarra su rosario de cuentas negras descoloridas por el uso y su pequeño libro de oraciones. Lee una vez más el letrero de *Dios te perdone, Mariana*. Cierra la puerta para que las sobrinas no le hagan travesuras ni husmeen sus secretos. Baja las gradas de piedra que se estremecen a su paso y sale con la prisa que le permiten los garbanzos.

El padre Antonio Manosalvas la espera en el confesionario de costumbre y ella debe abrir de par en par los ventanales de su alma y decirle que no sabe lo que tiene, preguntarle el por qué del silencio de Dios cuando lo llama y no responde, el por qué de esa tristeza repentina y de esas visiones mundanales que a pesar suyo le persiguen de manera extraña.

Separados por la reja del confesionario hay un torbellino de preguntas que exigen una aclaración sin reticencias, pero las respuestas se quedan en el aire. Hay una patética gradación de puntos suspensivos que no sugieren nada y al mismo tiempo, para la perspicacia de ambos, sugieren demasiado dentro de un cúmulo de palabras que no se dicen y van más allá de lo que se considera posible o que se quedan estancadas en los votos de castidad que cada uno ha hecho por su lado. La madeja enredada de las complicadas situaciones humanas y el hilo inflexible de lo divino agigantan el desconcierto, alimentan los tentáculos feroces de la duda, y la desvalidez espiritual es un martirio mil veces más atroz que la desgarradura de la carne, la rebeldía orgánica de sus pulmones agujereados, de su estómago reseco y de sus huesos doloridos.

El tiempo parece detenido en la ciudad piadosa. Pero pasa, lento, moroso, asfixiante, llueve como siempre. Matías Sandoval sigue haciendo la ronda y gritando su pregón nocturno por la calle de las Siete Cruces. Don Xacinto de la Hoz continúa embebido en la biblioteca del presidente, sumido en la lectura de libros que le abren más horizontes, para atormentarse más con las profundas cavilaciones, con las obligadas inercias y la soledad de los recuerdos y la vida. Las gentes que habitan en la siempre verde Quito siguen con sus rezos monótonos, con sus letanías interminables, con sus tertulias familiares y la droga del juego del tresillo. Las construcciones de los templos y conventos siguen adelante y, sin embargo, no sucede nada.

Los apagados comentarios de las gentes se hacen más suspicaces cuando se llega a saber que el joven padre Antonio Manosalvas abandona abrumado la Compañía de Jesús y se refugia, acaso huyendo de sí mismo, en la ciudad de Riobamba.

Los jesuitas, artífices en proteger el buen nombre de la Orden, no dicen el porqué, ni siquiera existen conjeturas, ni una carta, ni un papel; sólo se dice, de pasada, en alguna parte del Proceso que guardaba en una de las gavetas de su escritorio el papel en el que Mariana había escrito sus tres votos junto a una trenza de su pelo que se conservaba intacta.

El joven confesor abandona a su hija espiritual. Mariana se queda en la absoluta soledad. Nadie, ni siquiera ella misma adivina el por qué de un suplicio que es mayor que los azotes y cilicios, más grande que la sed, más fuerte que los dolores de su cuerpo enfermo. Necesita una respuesta a su tormento y le escribe entre lágrimas:

Padre mío, Vuestra Paternidad me escribe que no le aviso de mis melancolías cuando Vuestra Paternidad se fue y quedé sola. Terribles tristezas pasé sin comparación que estuve determinada a dejar las comuniones...

Antes de partir, Antonio Manosalvas busca otro jesuita que le sustituya, porque él, por sí mismo, no puede darle la ayuda que quisiera. Los superiores imponen que Mariana se quede bajo la tutela del padre Luis Vázquez. Pero la elección no es nada acertada, al contrario, es perjudicial.

El jesuita Vázquez no logra aquilatar la hondura de un alma que no tiene parecido con ninguna de las que ha tratado. Le prohíbe el único consuelo que le queda durante los esporádicos minutos de arrobamiento que puede experimentar en la comunión a diario, concedida como una gracia especial por los anteriores confesores. Le suprime el instante de contacto con su Dios personalísimo en los que puede recriminarle, con el derecho que le da la prueba de su fidelidad. Le impide que haga las constantes preguntas que no atinan a contestarle los humanos. No puede hablar cara a cara con Él, sin la necesidad de mostrarle al desnudo sus pesares y congojas, sus llagas y señales de cilicios que debe saber que los tiene. Mariana en el atroz martirio de la soledad universal se sumerge en la mayor noche oscura del alma. No tienen sentido los tormentos de la carne frente al incomparable vacío que le acosa.

Los jesuitas le mandan un nuevo confesor, el español Lucas de la Cueva, un hombre duro, escueto, demasiado austero consigo mismo y con los otros, incapaz de aprehender la finura y la solidez de un ser que se mueve ajeno a la materia. Apenas presta atención a sus quebrantos. Pone en entredicho los suplicios espirituales que le cuenta y como no puede entenderle, los confunde con las llamadas histerias femeninas, esas que tienen que ver con el paso de la luna y con la infrahumanidad de las mujeres.

Frente a la austeridad de Lucas de la Cueva que carece de un soporte místico y la incapacidad de altos vuelos, no tienen sentido las desesperadas palabras que escucha indiferente y molesto tras la reja.

Mariana pasa otra noche en vela, atormentada por los tridentes de sus demonios interiores. Se ha lacerado más que nunca el pecho, las piernas, los brazos y la espalda. Quinientos azotes le han dejado exhausta. Ha vertido sangre. Ha mojado el piso y las paredes. No ha comido nada, apenas ha masticado un trozo de membrillo que no traga y un pedazo de manzana que escupe.

Al salir de misa, después de las tres horas de rodillas, un frío sudor empapa el pañuelo de la frente. Le duelen todas las coyunturas y los huesos. Tiene fiebre. Siente que va a caer. La cabeza le da vueltas. El paso es inseguro. Va a desplomarse sobre los charcos de la calle y ve con horror que unas manos desconocidas le tocarán su cuerpo inmacualdo que no resiste el contacto humano. Arrimada a una pared, busca una silla de manos para volver a casa. Aparece como en sueños la escuálida figura de Lucas de la Cueva. Mariana, con un hilo de voz le pide ayuda. El jesuita la mira de hito en hito y le dice con sorna:

—¡Buena estamos! ¿Merece Mariana de Jesús una silla de manos? ¡Váyase, señora, a pie, como se vino!

La obediencia tiránica a la que vive sometida seca al punto el sudor de la frente. Hace a un lado la opacidad de la mirada. Agiganta su férrea voluntad. Pone fuerza en los huesos y tendones de las piernas. Empieza a caminar, insegura, con los garbanzos dentro de los zapatos. Se aleja vacilante. Llega a casa y se encierra en su cuarto. Llora con desconsuelo y se desploma en los ladrillos. Pero no quiere morirse, rechaza tal idea porque sabe que está en el peor momento de su vida.

Llega la noche desolada, la noche cruel del aparta de Mí este cáliz. Ni siquiera se desviste, ni tiene ánimo para embarcarse en el estímulo de la oración mental. No tiene ánimo para ponerse el cilicio de alambre de púas erizadas que da cuatro vueltas a la cintura estrecha. Se le derrumba el alma. Se le cierran los ojos. La mente se le va, incontrolable, y se queda a merced de ella misma.

En el silencio desolado de la larga noche, apenas interrumpido por el caer intermitente de la lluvia que azota la ventana, por el croar de las ranas que se multiplican en los charcos, por el ulular del viento que vomita burlas y el pregón de Matías Sandoval que pasa y repasa por la calle húmeda con su inseparable farol de luz mortecina y su botija de aguardiente, percibe una voz que no tiene sonido ni sabe de dónde llega, una voz que es intuición certera. Sabe, conoce, presiente que dentro de unas horas, cuando salga de las tres misas a las que acostumbra asistir, aparecerá el elegido que pondrá fin a sus tormentos, y ese elegido será la primera persona con la cual se tope...

No le importa saber si es la voz del Todopoderoso que al fin se acuerda de ella y pone sus ojos en el cuarto de esa casa y se digna tomarle en cuenta, o es el afinamiento de su psique o la transportación de su mente, pero es la certeza de que tendrá un nuevo confesor que abrirá las puertas de su cárcel y le dará la ansiada calma.

Espera temblando que amanezca. Antes de que suenen las campanas de La Compañía, está a la puerta de la iglesia esperando que el anciano sacristán, Sebastián Delgado, abra las puertas. Al otro lado, Mariana se consume escuchando el lento arrastre de los pies de quien está impedido de cumplir sus funciones sacerdotales porque está sumido en la chochez y ya ni siquiera puede con el pesado llavero, con las cadenas y candados, ni acierta con el hoyo de la cerradura porque le tiemblan las manos.

Asiste al sacrificio de las misas, que por única vez le parecen largas. Añora la hostia que es el único alimento que logra pasar por su garganta. Le es imposible concatenar un pensamiento que le acerque a las alturas porque la impaciencia terrena le consume. Con la bendición final se levanta, arrastra su frágil esqueleto y sale ilusionada al encuentro prometido.

La primera persona con quien se encuentra es nada menos que un hermano que no es sacerdote y que, por tanto, no tiene atribuciones para ser su director espiritual. Se desconcierta, pero aún tiene esperanzas. Sabe que sabe. Se acerca medrosa al hermano. Le cuenta atropelladamente sus pesares. Pone en cada palabra las hilachas de su alma. Insiste.

El hermano coadjutor es un ser especial, advierte el desamaparo de la niña que es conocida como santa por toda la ciudad *y cuya fama se extiende hasta Cali que dista ciento cincuenta millas* de distancia. Le responde que le está prohibido por el reglamento hablar en público con los feligreses, de un modo particular si se trata de mujeres, y sin tener un permiso especial para ello. Compadecido, le murmura:

—Esperad. Quedáos tranquila. Voy en busca de licencia.

Mariana se siente al borde de un nuevo fracaso. Tiembla. Se consume en la larga espera. Ora con toda su voluntad y con su fuerza. Casi tiene la certeza de que el padre Lucas de la Cueva prohibe que alguien más que él tenga trato con su persona. Está en lo cierto. Pero cuando el hermano coadjutor se retira cabizbajo con el voto de obediencia que le agobia las espaldas y la angustia de no ser útil a la desesperada súplica, Lucas de la Cueva, a instancias de sus superiores, revoca la sentencia.

—Y bien, yo me haré cargo de vuestra alma.

Mariana vuelve a nacer. Sonríe. Se da cuenta que un rayo de sol quiere penetrar por el vidrio de la pechina más alta, que la construcción del templo avanza, que el Todopoderoso ha dado fin a su tormento, que no está abandonada y que hasta tiene ganas de comerse un panecillo.

Los jesuitas, celosos de su buen nombre y su prestigio, consideran necesario hacer algunas concesiones con la penitente para evitar los comentarios de los feligreses. No es correcto ni tampoco es lo usual que ningún feligrés, sobre todo una mujer joven, aunque sea una niña, acuda a quien es solo un simple hermano. Mariana no puede arrodillarse en los confesionarios de la iglesia, a la vista de todos, pero le permiten hacerlo en un lugar apartado.

En un rincón de la sacristía existe un confesionario que tiene comunicación con el patio del convento. Le dan licencia para que cada día, el hermano coadjutor la escuche en confesión durante *dos horas diarias*, y lo hará a lo largo de los ocho años que le restan de vida. Este hermano coadjutor, junto al padre Alonso de Rojas le asistirán como directores espirituales en los momentos cruciales de su muerte.

* * *

Don Fernando de Rivera vivía en la ciudad de Panamá, en un ambiente tropical, agitado y bullicioso que en nada se parecía a la conventual y lluviosa ciudad de Quito. Las mujeres de Panamá, por diversas circunstancias que no siempre eran de orden espiritual, cuando querían acogerse a la vida retirada ponían sus miradas en uno de los tantos conventos fundados en las recoletas ciudades de los Andes.

Don Fernando de Rivera gustaba de los saraos, de la buena vida y no dejaba de lado los lances amorosos. Era joven, bien parecido, tenía magnífica posición y le sobraba el dinero. Le gustaba pintar y era hábil en hacer retratos. Las señoras de la nobleza buscaban que Rivera les hiciera algún lienzo y posaban complacidas largas horas ante su caballete y ante su presencia que no dejaba de serles seductora.

Un día de tantos, su hermana logró persuadirle de que viajara con ella hasta la ciudad de Quito porque había decidido hacerse monja del convento de Santa Clara.

A más de mundano, Don Fernando de Rivera tenía espíritu aventurero y no dudó en acompañarla. Los dos hermanos emprendieron el largo y peligroso viaje a la Audiencia de Quito. Se demoraron dos meses en llegar con su cortejo de criados y de mulas. Don Fernando entregó la dote a la priora y dejó a su hermana en el convento. No estaba dentro de sus planes quedarse en una ciudad que carecía de la vida nocturna y de las diversiones a las que estaba acostumbrado. Pensó en reponerse de las fatigas y regresar a Panamá.

En tanto, no tardó en hacer amistades, fue invitado a las tertulias y juegos de naipes en los hogares de los pudientes, y como es fácil suponer, al poco tiempo se vio envuelto en un suceso, que sin lugar a dudas, fue de índole amorosa. Un personaje prominente de la Real Audiencia se sintió mancillado en su honor y le echó el guante a la cara. Don Fernando se vio en la necesidad de lavar la afrenta como cualquier hidalgo y buscó armas y padrinos para batirse a duelo.

Tuvo la mala suerte de herir de gravedad al adversario, un acaudalado comerciante español que traía toneles de vino desde El Callao y vendía los paños que salían de los obrajes de la Sierra. El herido pasó un tiempo debatiéndose entre la vida y la muerte, mientras Don Fernando temía verse con la justicia de la Real Audiencia. En tales circunstancias pensó en huir, pero era demasiado tarde, por lo que le aconsejaron pedir asilo en algún convento, y el que le abrió las puertas fue el de los padres jesuitas.

El español murió después de un tiempo y Don Fernando se vio imposibilitado para salir de los muros del convento so pena de ir a la cárcel. No tuvo más remedio que contentarse con una prisión apacible. El silencio del convento, la pulcritud de la austera celda, el cantarino susurro del agua de la pila, las hileras de macetas de geranios, el vuelo de los gorriones que se acogían en los árboles, tenían su particular encanto porque podía pintar sin interrupciones y en silencio.

Poco a poco fue dejando a un lado la nostalgia por su tierra. Fue cogiendo gusto por la vida retirada. Descubrió una nueva forma de vida. El ascetismo, la simpleza, el trabajo, el sentido del más allá, acrecentaron su inspiración de artista. Casi sin caer en cuenta empezó una transformación espiritual y fue sustituyendo los pasajeros amores humanos por el amor a «un ser que no se muda».

Unos años después, Don Fernando de Rivera abrazó la vida religiosa y se ordenó como hermano coadjutor. Le dieron el oficio de pintor de la Orden de San Ignacio. Todo su agitado pasado desapareció cuando los feligreses de la Compañía de Jesús empezaron a conocerle con el nombre de hermano Hernando de la Cruz, quien tuvo un papel decisivo en la vida de Mariana.

Alguna tarde lluviosa, Don Xacinto de la Hoz se cruza inesperadamente con Fernando de Rivera, apenas logra reconocerle sin la espesa barba, sin la espada que hace un ángulo en la capa, ajeno a los arrestos juveniles y bajo la austeridad de la sotana. Le pregunta asombrado:

—¿Sois el que alguna vez conocí...?

El hermano Hernando tarda en saber quién es y al fin le responde:

—Soy y no soy el mismo.

Don Xacinto de la Hoz agrega:

—Yo os creía en vuestra tierra o acaso muerto...

Con distinta voz y con distinto gesto el hermano Hernando musita:

—Muerto estoy para el mundo, pero gozo de una nueva vida.

Don Xacinto de la Hoz no sale de su pasmo. Recuerda las noches de juego y de jarana, de buen vivir y de jolgorio. Revive el suceso del duelo al que él asistió como testigo y, como no ha dejado de lado sus manías y obsesiones, a la noche llega más temprano a la casa del presidente. No saluda a nadie y se encamina directo a la biblioteca. Busca la Mónita

Secreta y, para confirmar sus sospechas, lee lo que ya había leído:

«No desprecien los confesores preguntar a sus penitentes, en tiempo oportuno, por sus amigos, familias, nombres, ascendencia y descendencia; y después de investigar su genealogía, pregunten por lo que son, qué resolución y estado tienen, y si no estuviesen aún recibidos en alguna congregación de las nuestras, convendrá persuadirlos a que hagan diligencia para ser en ella recibidos; porque desta manera vendrán a servir de utilidad a la Compañía...»

* * *

Después de las penurias, Mariana tiene por fin un director espiritual a su medida. Vuelve a ser ella misma, llena de paz, segura de su vocación de mártir y de víctima expiatoria, con el absurdo convencimiento escrito en los libros religiosos que aseguran que la redención de las almas, iniciada en el Calvario, aún no está terminada, y alguien debe completarla...

Ella es la víctima destinada al sacrificio y la elegida para suplir lo que falta. No existe quien ponga en duda las lecturas sagradas ni quien afirme lo contrario, ni tiene edad para darse cuenta en sus hondas meditaciones que en las relaciones espirituales es imposible admitir que el Todopoderoso acumule una deuda inmerecida.

No son suficientes los conceptos teológicos ni la sabiduría de sus confesores para señalarle otro camino. Aunque ella está más allá de los tratados del alma, de las reglas y preceptos, aún no se ha escrito un canon que se adapte a su medida. Necesita un ser iluminado que pueda adelantarse al tiempo y traspasar las vallas del siglo XVII para aclararle los laberintos de su mente y decirle que el privilegio que tiene es algo inusitado y diferente.

Bajo la influencia de los Ejercicios Espirituales de San Ignacio de Loyola escribe en un pedazo de papel el horario de vida:

A las cuatro me levantaré y haré disciplina, pondréme de rodillas, daré gracias a Dios. Repasaré los puntos de la Pasión de Cristo.

De cuatro a cinco y media, oración mental.

De cinco y media a seis, examinarla. Pondréme los cilicios, rezaré las Horas hasta Nona, haré examen general, iré a la iglesia.

De seis y media a siete me confesaré...

De siete a ocho prepararé el aposento de mi corazón para recibir a mi Esposo...

De ocho a nueve sacaré ánimas del Purgatorio y ganaré indulgencias por ellas.

De nueve a diez rezaré los quince misterios de la corona de la Madre de Dios.

De diez, a el tiempo de una misa, me encomendaré a mis santos devotos, y los domingos y fiestas, hasta las once.

Después comeré, si tuviere necesidad.

A las dos rezaré Vísperas, y haré examen general y particular.

De dos a cinco ejercicios de manos y levantar el corazón a Cristo.

De cinco a seis, lección espiritual y rezar Completas.

De seis a nueve, oración mental...

De nueve a diez, saldré de mi aposento por un jarro de agua, y tomaré algún alivio moderado.

De diez a doce, oración mental.

De doce a una, lección en algún libro de vidas de santos, y rezaré Maitines.

De una a cuatro, dormiré los viernes en mi cruz, las demás noches en mi escalera. Antes de acostarme tendré disciplina de cien azotes.

Los lunes, miércoles y viernes (advientos y cuaresmas), la oración la tendré en la cruz. Los viernes, garbanzos en los pies, y una corona de cardas me pondré, y seis cilicios de cardas. Ayunaré sin comer toda la semana; los domingos comeré una onza de pan. Y todos los días comenzaré con la gracia de Dios.

Los días viernes son los más cruentos de la semana. Suplica a la india Catalina que por amor a Dios le azote con los ramales de espinas:

—Porque vos tenéis más fuerza que estos pobres brazos y me queréis como mi madre ausente.

—Te hago de querer, sí... Y por lo mismo, te suplico que dejéis a un lado los tormentos...

—No me pidáis lo que no es posible.

En la noche, cuando todos se han recogido, saca de debajo de la cama el cajón donde guarda sus cilicios, elige el que tiene un manojo *de siete alambres con puntas de hierro*, los endereza, los sacude, descubre su espalda, toma aliento y se azota hasta que los brazos se le caen yertos. Brota la sangre que salpica las paredes encaladas, por las flacas piernas descienden hasta los talones hilos de sangre que se quedan encharcados en el piso.

A la mañana, ella y la india Catalina estarán de rodillas lavando apuradas con lejía y con estopas de cabuya las manchas que oscurecen los ladrillos. Aciertan a pasar las sobrinas y piden que las dejen entrar para prestar su ayuda. Mariana les consiente, pero riegan el agua, se mojan los vestidos y no cesan de hacer preguntas:

—¿Por qué os atormentáis de esta manera?

—¿Por qué ayunáis?

—¿Para qué conserváis ese esqueleto?

—¿Por qué no venís con nosotras a la huerta...?

Mariana va a la huerta porque se le ha difuminado la tristeza, porque no hay rezagos ni asomos de tragedia en asumir su papel de mártir que nadie le impone. Lleva consigo la vihuela. Se sientan en el brocal del pozo y empiezan a cantar. Se acaba el repertorio y le ruegan que les cuente la vida de Jesús.

Las niñas se sientan en la yerba. Brilla el sol, el limonero está vestido de azahares, los gorriones juegan en las ramas, el gato tiene esmeraldas en los ojos. No puede acarrearles la tristeza con cuentos del Calvario, prefiere relatarles cuando Jesús, a la edad de ellas, hacía palomitas de barro, las ponía a secar al sol y cuando estaban secas, las palomas abrían los ojos, miraban el encanto del huerto, aleteaban y se escapaban de sus manos a picotear el trigo.

Mariana coge unas ramitas y un puñado de yerbas forrajeras:

—¿Habéis visto qué hermosa es la flor del cedrón, la flor del romero y de la mora... La flor del trébol blanco que pisáis sin verla... Los racimos de la tembladera, de la espiguilla, de la avena loca que se mecen en el viento... La cola de zorro, la pata de gallo, la lengua de vaca que se dicen malas yerbas...?

¿Las habéis visto y comprobado que aunque son humildes, son perfectas...?

Petrona de San Bruno, *monja profesa de velo blanco* del convento de Santa Clara, amiga de la infancia de Mariana, declara con licencia de la prelada, en el largo Proceso, que fue una tarde a acompañarla y le pidió que tocara la vihuela. Confiesa que *estando tocando por espacio de un credo se quedó elevada y en suspenso*, se le perdió la mirada en las alturas y se le paralizaron los dedos en las cuerdas. *Se estuvo desta suerte de las cinco a las seis y cuando volvió del éxtasis*, regresó al mundo de los pecadores como si sólo volviera del aposento contiguo para decir con la faz risueña:

—*Hermana Petrona, qué de cosas hay en el cielo.*

Y aunque la monja le ruega:

—Decid, decid, qué cosas...

No quiso contarle nada porque era difícil explicarle con palabras, porque temió que no entendiera o porque le pareció muy fácil que ella misma llegara a experimentarlas por su cuenta.

Duelen las espinas que entran a la fuerza doblándose en la carne, pero el dolor se pierde en la transubstanciación. Escuecen los golpes de ortigas, *yerbas muy picantes y caribes*, que le levantan la piel en ampollas, pero el ardor se difumina en otras sensaciones. Le cuesta beber solo el jugo de membrillo y de manzana para calmar la sed insaciable que le acosa, pero aplaca su dipsomanía en otras fuentes.

Son los únicos conceptos de santidad que conoce. Es absurdo hablar de masoquismo, de morbo o de histeria porque Mariana es de naturaleza alegre y no sabe que pueden existir otros caminos para llegar al cielo. Conservará hasta la muerte toda su pureza bautismal y su voluntad de trascender y traspasar los límites de la materia, aunque le llegue la duda y lea a cada rato el letrero de *Dios te perdone, Mariana*.

Es hija de su tiempo y depositaria del mandato más terrible y más terreno de ser santa.

Su vida, lejos de la vida conventual que siempre quiso, transcurre junto a su familia. Las pequeñas sobrinas tienen necesidad de convencerse cómo es posible que pueda vivir sin probar bocado y le ponen golosinas a su alcance. Les cuesta admitir que nunca coma carne y le acercan escudillas con presas de gallina, mientras hacen apuestas:

—A que esta vez sí se come un pedacito de pechuga.

—A que esta vez sí prueba una pizca de pastel.

Se turnan para vigilarle y convencerse. Mariana les deja hacer y cuando las sorprende tras la puerta, se sonríe porque tiene el don de la sonrisa.

No es ajena a los brotes de humor. La india Catalina le prepara un puchero sustancioso, le lleva en la marmita que expande su olor a perejil y cebolla.

—Ña Mariana, no me hagas desprecio. Tomá al menos una cucharadita deste caldo hacido por yo mesma para vos.

Ante tanta insistencia le contesta risueña:

—*Calla, tonta, para eso me voy a La Compañía, a comerme un cordero entero, con huesos y carne y vivo.*

Se dice en el Proceso que hasta llegó a pasar tres meses sin probar una gota de agua. Todo es posible con su voluntad de hierro. La ven salir del cuarto, bajar las gradas de piedra, llegarse a la tinaja rebosante gracias al fervor de los aguateros, la ven llenar su jarro hasta los bordes y cuando va a llevarse a los resecos labios, la vierte lentamente por el pico, porque en el ínterin del cuarto a la cocina le llegan las mortecinas palabras del «tengo sed» en la cruz del Calvario. Cristoficada, sube cantando de dos en dos las gradas y se encierra en la intimidad de su retiro.

En una pared de su cuarto se ve un cuadro con la imagen de la Virgen de Loreto. Frente a él ha colgado un lienzo espeluznante. Dice que no hay tal pintura sino que se trata de un espejo donde se mira a diario. Es una *cabeza a medio podrir*, que pintó el hermano Hernando de la Cruz, a ruego de ella. En el lado derecho son visibles los rasgos de su cara perfilada, lozana, dueña de una serenidad sin límites, con la mirada fija en lo que no es dado mirar a los demás mortales, pero en el lado izquierdo se ve la pintura de su postrimería. Tiene la mejilla podrida, en la mancha verdosa pululan los gusanos que salen en procesión por un lado de la boca desdentada, por el hueco de la nariz roída, por la cuenca negra del ojo y que hasta gritan desde el lienzo:

—Mariana, sois vos.

Consecuente con el voto de pobreza, sólo tiene un vestido de *tocuyo y cardas* y el hábito negro con que sale a la Iglesia de La Compañía. Se ha despojado de la herencia de sus padres y la ha cedido a su cuñado Cosme y a su hermana Jerónima, a quienes les pide que por piedad la acojan y mantengan.

A la hora de comer, no comparte la mesa familiar con el mantel almidonado ni los cubiertos de plata imprescindibles en la mesa porque saben que la plata detecta los venenos. Se sienta en el suelo, junto a las criadas, para afirmar su humildad y también para que no estorben su inveterada anorexia.

Simula comer para evitar comentarios, pero todos saben que guarda su ración para una mujer de mal vivir conocida como María de Miranda. La Miranda no tiene el valor de acercarse a la casa de los Paredes ni a la casa de ninguna familia de linaje porque sus andanzas son el escándalo de los habitantes de la ciudad. Nadie quiere tratos con las malas pécoras, y la mala pécora se resiste a avergonzar a sus hijas, que «están en edad de merecer» poniéndolas en la fila de los mendicantes que esperan con el cazo extendido la sopa de los bethlemitas en el hospital de enfrente.

A falta de ejemplo que no puede darles, la Miranda cuida a sus hijas y las protege de los malos pasos. Cuando llega a la casa de los Paredes, tira piedrecillas a la ventana de Mariana para que se entere que ha llegado, y espera escondida que se abra la puerta y aparezca con las viandas.

Mariana las acoge con ternura. Las tres mendigas devoran del mismo plato cualquier cosa. No le asquea que se laman los dedos sucios, que se saquen las hilachas de carne que se quedan en las caries, que les dé lo mismo lo picante o la salmuera, lo frío o lo caliente, porque sabe que el paladar del pobre se atrofia en la primera hambruna. Las mendigas agradecen y se lanzan al plato con la cuchara en ristre:

—¡Sopa de cabello de ángel! ¡Bendita seáis por acordarte de nosotras!

—¡Bendito y alabado Dios por esta polla ronca!

—¡Dios te dé más por este plato de moros y cristianos!

Mariana tiene el don de amigarse y estar codo a codo con las prostitutas. No tiene reparos en llegar hasta la fila de mendigos, repartirles pedazos de pan, amasado por ella, quitarles las tristezas e inclinarse hacia los más zarrapastrosos para sacarles los piojos. Le repugna, pero lo hace. Las sobrinas se apartan y huyen antes de que les pida hacer lo mismo.

—¡Escapémonos! ¡Escondámonos en los cuartos del traspatio!

—¿Por qué tiene que hacer cosas que son tan asquerosas...?

—¡Quién lo sabe!

Es la que cuida de los criados enfermos, les da a beber la tisana de arrayán, cedrón, manzanilla y otras yerbas que recoge de la huerta. Les acerca a los labios la cucharada de sopa. Les arregla los jergones del fétido camastro, el olor le marea y debe abrir la puerta. Empuña la escoba para barrer las miserias. Se sienta largas horas a la cabecera para darles compañía. Se embarca en la oración, pone sus manos en los miembros dolientes y sucios y hace que los males abandonen los cuerpos maltratados en un vuelo de buitres carroñeros.

Los mercaderes llegan a la ciudad. Vienen desde el Reino y la gritería de la multitud que les recibe, es inmensa. Su arribo es todo un suceso, a más de los objetos de arte, perfumes, sedas de la China y otros refinamientos, traen cartas abundosas en noticias.

El presidente de la Real Audiencia deja a un lado sus negocios. Rompe apresurado los sellos de la carta exclamando ¡ah! y ¡oh! a cada instante. La noticia concierne a todos los habitantes de la ciudad y debe congregar a los oidores para participarles el suceso que conmocionó a la Corte de España. Las noticias tardan demasiado tiempo en llegar a las Indias y muchas veces no llegan porque se ahogan en el mar. Aunque la carta llega con dos años de retraso, los presentes escuchan la lectura sin perder una sílaba; por ella se enteran de que ha nacido en el Reino el hijo de Felipe IV, el melancólico, y de Mariana de Austria, la paciente. Le han puesto de nombre Baltasar Carlos Domingo.

Se enteran de la melancolía del rey que, sentado en su trono, con la mano en la mejilla y la corona torcida, ve cómo se derrumba ante sus ojos el poder español sin poder hacer nada. La carta relata los ajetreos de los cortesanos que han querido sacarle del mutismo celebrando el nacimiento de su hijo con fastuosas demostraciones de alegría. La carta narra los pormenores del acontecimiento y los oyentes, que están lejos de la corte, quieren emular el gran suceso. El presidente manda que se publique la noticia por medio de un bando, mientras los oidores se preparan:

—También aquí debemos celebrar el nacimiento del príncipe.

—No podemos pasar por alto tal suceso.

—Nuestros festejos opacarán a los del Reino.

Mientras tanto en el Reino, a los dos años de distancia, el pequeño príncipe, víctima de la endogamia, deja la cuna, come de mala gana las papillas con la dieta de mucílago que le preparan y da los primeros pasos tambaleante y enclenque. Pero la ciudad de Quito, en vigilia de sucesos, se apresta a celebrar el nacimiento como si no supiera que ha pasado el tiempo. Todos los vecinos se ven obligados a participar. Se incluye a los indígenas para que construyan tablados y altares, para que acarreen cargas de leña desde los bosques cercanos, barran los montones de basura que quedarán en las calles después de cada festejo y sirvan noche y día a los señores que serán los dueños de la fiesta.

Las programaciones y preparativos duran unos cuantos meses. Los dos Cabildos quiteños no descansan y sesionan a diario. Los habitantes abren las arcas y abrillantan los trajes de gala. Hasta las mujeres más humildes comienzan a buscar alguna tela para coserse algún vestido, y las señoras españolas agotan todas las reservas de sedas chinas y de tafetanes que se venden en el almacén de las

Casas Reales que es vivienda y propiedad de Don Antonio Morga.

Las criadas van y vienen con mandados:

—Dice la patrona Baltasara que le mandes tres cortes de seda china y algunos tafetanes.

—¡Imposible! Decidle que no queda nada.

—Dice la patrona Baltasara que te diga que debe quedar parte del contrabando que le llegó al presidente, y que le mandes lo que ha pedido.

—Decidle que lo del contrabando no son más que habladurías de las malas lenguas, y que si aquello fuese verdad, hasta aquello se ha agotado.

—Dice la patrona Baltasara que si no le mandas lo que necesita, te quitará hasta el saludo.

—Decidle que... Mejor, no le digáis nada porque Dios nos libre de su genio.

Los Paredes se imaginan que Mariana, solidaria con todo el mundo, que ha suprimido de su vocabulario la palabra *no* para los otros, asistirá por lo menos a las celebraciones religiosas y no pueden admitir que se presente en tal acontecimiento con su raída sotana de mendiga.

Don Cosme de Casso busca por toda la ciudad algo adecuado y al fin encuentra *un vestido de tabí de seda a dos colores* que harían la felicidad de cualquier adolescente, pero a ella le causa zozobra porque su epidermis rechaza el contacto de la seda y es solidaria con la tosca bayeta del mendigo. No sabe qué hacer con el regalo. Al fin se lo pone unos instantes para complacer a su cuñado y se lo quita enseguida para volver a su rutina y sus harapos.

En la ciudad, convulsionada con los preparativos de las fiestas, Mariana, los niños de pecho y los indios de las mitas y obrajes son los únicos que no toman parte en la novena de festejos. Los indios permanecen encerrados frente a sus telares. El trabajo no se paraliza un solo día. En su obraje de Latacunga, Bernardo de León sigue alimentándoles con cueros de res, con el mismo forraje que da a las bestias, y por única bebida sus propias orinas...

El domingo, primer día de festejos, como manda la costumbre se celebra el nacimiento del príncipe Baltasar Carlos con una procesión solemne que circunda la Plaza Mayor, adornada de lujosas colgaduras y de fastuosos altares levantados en cada una de las cuatro esquinas. Don Antonio Morga y su majeza se coloca delante del obispo y los prelados, bajo el dosel de seda. Detrás de él vienen los oidores, las autoridades y las comunidades religiosas con los curas de las parroquias, que arrean a todos sus feligreses. Los monaguillos agitan y echan cucharadas de incienso y alhucema en los braserillos de los ricos incensarios. La procesión camina lenta y pomposa ostentando sus cruces, emblemas y estandartes. Hasta las monjas de clausura están presentes, no falta ninguna; las ancianas se hacen llevar por sus criadas en sillas de mano, se colocan un poco apartadas de la multitud para que no las aplasten, y para evitar comentarios se cubren con espesos velos.

La Plaza Mayor está repleta. Se echan a vuelo las campanas de todas las iglesias y conventos. Más de mil soldados, con uniformes nuevos y armas relucientes atronan los aires con salvas de fusiles. La procesión demora en entrar a la Catedral para la misa cantada y para escuchar el florido sermón predicado por el Chantre Don Juan de Quiroz. El regocijo es general, la ceremonia interminable. Hay unas cuantas señoras desmayadas, y al caer la tarde se presenta toda la nobleza para lucirse en una reñida corrida de caballos.

A la noche, las calles de toda la ciudad se iluminan con millares de velas de sebo que dan su luz incierta en los faroles.

Mariana permanece ajena a los festejos. Escucha a lo lejos el bullicio, se pone triste al pensar en la fatuidad de esas fiestas y como sabe que es la víctima propiciatoria de los pecados de la ciudad, se azota y se coloca en la cabeza el capacete de puntas de hierro.

El día lunes los indios construyen tablados para la corrida de toros. Las señoras de la nobleza sacarán a relucir sus joyas y sedas y cada balcón está adornado con emblemas y mantones.

A la noche, nadie se queda en casa, el Cabildo ha preparado un desfile de máscaras mitológicas. Gigantescas figuras de monstruos montados en carros y dragones arrojan infinidad de cohetes por sus fauces que estallan por encima de los campanarios y tejados. Desde la loma del Yavirac, el Itchimbía y el Huanacauri, lejos del jolgorio y de los gritos del pueblo, los indios concertos aprovechan para beber pondos de chicha, se calientan al calor de las chamizas que les ordenan prender, y la madrugada les encuentra tumbados en la yerba tratando de agarrar algún retazo onírico que les dio la compasiva borrachera.

El humo envuelve toda la ciudad. A lo lejos se escuchan los griteríos de la fiesta y las carcajadas de las gentes. Mariana se pondrá en oración con los brazos en cruz y cuando éstos se le caigan, acalambrados, aún tendrá fuerzas para azotarse la espalda con el látigo de siete puntas de hierro.

El día martes será el festejo organizado por los gremios de artesanos, que se han preparado con meses de antelación creando un clima expectativo. Aparecen entre músicas de chirimías disfrazados de turcos. Llevan túnicas de brillantes colores, profusión de collares y colgantes en el pecho y en los turbantes y, adosados a la cintura, no faltan alfanjes y cimitarras de vistosas empuñaduras. Desfilan por centenares, y a la noche, el pueblo asiste a ver las ruedas de fuego que se desatarán en chispas de colores.

Mariana se acuesta a maldormir en la escalera de siete peldaños, reclina su ardiente cabeza sobre el tronco de madera. El silencio se quiebra con el grito blasfemo de algún borracho. Mariana hace que las puntas de tachuelas que tiene sobre el pecho se vayan más adentro.

El día miércoles corresponde a los mercaderes. Son los más ricos de la ciudad y se permiten el lujo de presentar dos comparsas; la una, es de hidalgos españoles que van codo a codo con caballeros franceses y alemanes. Al son de tambores y cornetas la gente asiste entusiasmada al desfile de toda una colección de jubones cortos y jubones largos, enguatados o acuchillados, de gregüescos de encajes, de pantalones cortos o bombachos, de calzas y medias calzas, esclavinas de gorguera, birretes emplumados, pelucas de lazo o medio lazo. Los mercaderes llevan sus correspondientes espadas y una corte de lacayos arrastra de las bridas caballos enjaezados con arneses de oro y plata.

La otra comparsa es de cardenales y obispos a cuya cabeza, imitando las galas del Consistorio, aparece el Papa. Habrá una profusión de mitras adornadas de joyas, de cruces pectorales de oro macizo, de anillos pontificales de amatistas, de báculos de plata con empuñaduras de oro, de casullas y de estolas de damasco bordadas en hilos de oro.

A la noche se enciende una pirámide de leños tan alta que parece que la ciudad se está incendiando.

Mariana sufre por los desmanes de las gentes. Las risas de los hombres y las correrías de las mujeres le dicen que han empezado los excesos. Es ella la que se cree llamada a detener el brazo de la justicia divina ante los pecados del pueblo. Se coloca en la cruz, pasa los frágiles brazos por las argollas, empuja con el pie el costurero de madera taraceada y amanece con los miembros entumecidos.

El día jueves los indios construyen desde la madrugada un tablado que cierra la Plaza Mayor para la tercera corrida de toros, y cuando ésta termina toda la nobleza toma parte en un juego de cañas formando por dos cuadrillas que simulan un reñido combate. El presidente de la Real Audiencia, los corregidores, alcaldes, alguaciles y encomenderos están disfrazados de caballeros de la Orden de Calatrava, de Santiago o del Temple. Lucen yelmos con penachos, armaduras, lanzas, adargas y escudos, y van montados en briosas cabalgaduras cubiertas de ricas gualdrapas, testeras y petrales.

A la noche, la nobleza asiste a la casa del presidente. Don Antonio Morga hace gala de sus gustos principescos en el banquete de entremeses, entradas, sopas, segundillos, postres, vinos, ambrosías y refrescos y en el fastuoso baile que dura hasta la madrugada.

Mariana no duerme ni reza ni borda, se siente intranquila en la algazara. Apenas clarea sale a misa con el cilicio de alambre en la cintura. Da un rodeo para no toparse con los borrachos. Ve a los mendigos que han dormido acurrucados en los portales, arracimados, para protegerse del frío. La iglesia está vacía y hasta el cura que celebra la misa tiene un aire trasnochado.

El día viernes hay más corridas de toros y a la tarde los nobles se visten de villanos. Entre ovaciones, juegan alcancías con la bola seca de barro cocido, llena de flores y ceniza que se tiran unos jinetes a otros. Luego juegan a las cañas con lanzas llenas de cintas y penachos.

A la noche se vuelven a encender las luminarias de colores. Hay bandas de música en cada plaza. Todos beben y danzan hasta caer rendidos.

Mariana no se da cuenta de la hora, ni siquiera se acuesta. Tal vez se transporte y amanezca embebida en la contemplación de los misterios.

El día sábado toman parte en los festejos los más numerosos de la villa que son los mestizos. Y como no queda un papel para ellos, se disfrazan de indios. Muestran lo que más les duele y está más cerca de su tiempo y sus menguados bolsillos. Desfilan hiératicos representando «las compañías de ocho naciones llamadas quillaisingas, jíbaros, cofanes, litas, quijos, gungas, niguas y mangais». Pasan más «de cuatro mil hombres armados de hondas, flechas y macanas». Aparece el Inca acompañado de decenas de mujeres tristes con sus orejeras, llautos y brazaletes de plata. Traen un carro en el que representa «el castigo que se dio a los caciques Pende y Jumande que se sublevaron en la provincia de Quijos». Llevan ofrendas de chicha, ají y coca en una multitud de llamas. «Traen los rostros embijados y ostentan un lujo extraordinario».

Mariana siente los ardores de la sed, va hacia la tinaja del patio, coge el agua, la mira, la vuelve a verter y regresa a tomar un trago de la hiel y el vinagre que esconde en una botija al pie de la ventana.

Al llegar el día domingo se organizan más corridas de toros, más desfiles de máscaras y más espectáculos de luminarias, cohetes y fanfarrias. El pueblo es incansable, pero los señores ordenan que al otro día retornen a las faenas rutinarias y que se vuelvan a atender los negocios que han permanecido cerrados. Es hora de seguir con las construcciones, de desyerbar las sementeras y de recoger las cosechas.

Los capataces deben regresar a ver qué han hecho los indígenas que quedaron encerrados en los obrajes, sin comida, y a lo mejor se han muerto y deben ser reemplazados enseguida.

Mariana tiene fiebre, delira, se acurruca al pie de la cama y no sabe si está viva o está muerta.

El día lunes se terminan los festejos que fueron el mayor acontecimiento del siglo y, después de los festejos, comienzan los interminables comentarios:

—Quedaron opacadas las fiestas que mandó hacer Nuestro Señor Felipe III, el devoto, para festejar la canonización de San Raimundo Peñaflor.

—¿Quién fue aquél...?

—El catalán que fue predicando por todos los pueblos y ciudades y convirtió millares de judíos.

—Se quedaron atrás los funerales que dizque se celebraron en la muerte de Margarita de Austria.

—¿Quién fue aquélla...?

—La esposa de Nuestro Señor Felipe III.

—¿Quién fue aquél...?

—El que también murió y sus funerales fueron grandiosos.

—El presidente de la Real Audiencia se tomó tres días de merecido descanso, sin salir de la cama. Fue quien más disfrutó de los festejos.

—En las mañanas vímosle con su esposa que lució cada vez diferente atuendo.

—Pero a la noche vímosle acompañado de su amante Jerónima Arteaga, quien quiso opacar a la otra en cuanto a lujo.

—Nadie como él para salir airoso con sus galanteos.

—Tanto como la habilidad en los negocios.

El doctor Morga, que tanto da que hablar a los quiteños, dura en el cargo veinticinco años. Disfruta de la presidencia como ninguno. Al cumplir los setenta y dos otoños bien vividos, se casa en terceras nupcias con una doncella de veinte, y cada vez que llegan los temidos Visitadores Generales, con su carpeta de denuncias bajo el brazo, se las arregla para aparecer sin ninguna mácula.

Don Xacinto de la Hoz, más malgenio y aburrido que de costumbre, no ha participado en la novena de festejos, se ha encerrado entre libros, ha sacado cuentas y ha hecho cálculos para espetar a los oidores:

—Habéis derrochado más de cincuenta mil pesos en celebrar un acontecimiento que no os va ni os viene.

—Pero nos divertimos y se divirtió la plebe, bebimos a discreción y matamos el tedio.

—Buscáis pretextos porque no tenéis en qué ocupar el tiempo.

Los notables de Quito se quedan satisfechos y los que son pobres se quedan endeudados, pero dicen que valió la pena. Además, unos y otros no caben de contento porque fueron testigos de un milagro:

—¡No cayó ni una gota de agua durante los festejos porque San Pedro Bendito nos hizo un portento!

—No fue San Pedro.

—Entonces... ¿Quién...?

—Fue la Virgen del Rosario. Esperábais los torrenciales aguaceros de costumbre y, apenas a la madrugada, solo apareció una llovizna.

—Fueron nueve días de un sol resplandeciente, en pleno invierno.

Año del Señor. Febrero de mil seiscientos treinta y uno, no llueve durante todas las festividades, por lo cual profetizan que el reinado del príncipe, que será más tarde Carlos II, será un reinado próspero y feliz.

Mariana, en la soledad de su cuarto, entre la oración y el poder inexplicable de adentrarse en el futuro, verá al príncipe recién nacido. Le verá coronado como rey a los cuatro años, será destetado ese mismo día, la nodriza, con los pechos llagados, al verse libre de los afilados incisivos, se dará a la fuga. La ceremonia de coronación será una afrenta para los embajadores y prelados que llegan de los reinos más lejanos con sus séquitos. El pequeño príncipe armará el peor emperro de su vida porque no quiere corona sino teta.

Mariana se cuida de decir una palabra ante los juicios y predicciones equivocados del pueblo. Acaso sea un sueño la visión de un rey malvado y enfermizo, al que el pueblo llamará «el hechizado» por creer que su esterilidad se debe a algún embrujamiento. En su afán de tener descendencia, se pondrá en manos de Fray Froilán Díaz quien organizará una fiesta satánica: invocará al mismo Lucifer que hablará por la boca de unas monjas endemoniadas. Le prescribirán tratamientos médicos y exorcismos, pero el rey se quedará sin descendencia y los participantes del satánico acto caerán en manos de la Inquisición.

Las fiestas que son motivo de tanta trascendencia y jolgorio en la Real Audiencia de Quito, serán un desastre para España.

Después de los festejos, llega «abril con sus aguas mil». Llueve y llueve sin parar. Las nubes cargadas de aguacero se desatan. Los patios de las casas y las habitaciones de los traspatios se inundan. El perímetro de la laguna de Iñaquito se ensancha más que nunca. Los cimientos del puente de dos pisos del Machángara se cuartean. El reumatismo tiene postrados a los viejos. Se teme que se presente la hambruna porque las cosechas se han podrido. Se recurre al cielo. Se hacen rogativas ante las custodias de oro y piedras preciosas expuestas en los altares de todas las iglesias. Los dos Cabildos sesionan día y noche. Deciden sacar en procesión a la Virgen del Rosario. Se hace la procesión, pero las lluvias continúan. Se saca a las demás imágenes y no deja de llover hasta mayo cuando se recurre a la Virgen de Guadalupe, quien es la única que logra detener las inclemencias del invierno.

Por esos mismos días, Su Serenísima Majestad Felipe IV, el melancólico, siguiendo los pasos de su padre, el devoto, ordena que todas las ciudades de sus dominios se consagren a la Virgen María. Los Cabildos vuelven a reunirse. Los partidarios de los jesuitas quieren que la patrona de Quito sea la Virgen de Loreto que se venera en La Compañía. Los adeptos a los franciscanos piden que sea la Virgen del Pilar que tiene su altar en San Francisco, o en su caso, la Virgen Moreneta de San Diego, que siempre que se la nombra origina discusiones debido a su color:

—No creáis que es negra por los negros, es negra por el humo de las velas.

—La Santísima Virgen no fue de raza negra. Esta es negra por la pátina del tiempo.

Los que forman el Cabildo de laicos piden que la patrona de la ciudad sea la Virgen de Egipto que se venera en la Catedral. A ratos parece que la elegida será la Virgen de Copacabana, por el acopio de milagros que le acreditan sus devotos. No hay consenso, la discusión dura largo tiempo y la orden del rey es perentoria, por lo que, antes de irse a las manos, las autoridades deciden consultar al pueblo. El pueblo se decide por la Virgen de Guadalupe, porque arguyen que es una ingratitud pasar por alto su poder para detener las lluvias.

Entonces, a disgusto de los Cabildos y de la nobleza, la ciudad se consagra a dicha Virgen con las consiguientes festividades de vísperas, misas, sermones floridos y el nombre de Virgen de Guápulo como la llaman los indígenas, que no pueden pronunciar la palabra *Guadalupe*.

* * *

Durante la existencia de Mariana los trabajos de los artesanos de Quito son anónimos y no piden favor a las obras que llegan desde Europa, pero también es sabido que a todo artesano le consume la desidia. Trabajan solo cuando les da la gana. Demoran eternidades en entregar las obras y aun exigen dinero adelantado, el que no les sirve de provecho porque se esfuma tan pronto como llega a las chicherías que hay en cada esquina. No es raro que quienes requieren los oficios de cualquier artesano se vean en la necesidad de recurrir a la fuerza y aun les cojan desprevenidos y les secuestren.

Encerrado bajo llave, en el último cuarto del traspatio, sometido a pan y agua, Don Cosme de Casso tiene al zapatero Romualdo. Jura que no le dejará salir hasta que entregue los zapatos de tres suelas que usan él y los demás caballeros para aumentar su porte. No entrega los botines para las niñas, que andan con las suelas llenas de agujeros. Si no toma medidas de esta laya, los pies les crecerán y las niñas se quedarán, como otras veces, sin zapatos. A Mariana le molestan los huecos de las suelas sólo porque por ellos se escapan los garbanzos. Le apena el encierro de Romualdo que entre puntada y puntada entona las melodías más desgarradoras y dice que no puede trabajar sin lamentarse de los amores fallidos y de la vida amarga.

Jerónima de Casso ruega a su esposo que secuestre a su vez al ebanista que no le entrega la peana que mandó hacer para la Virgen de Copacabana. Don Cosme le amenaza con meterlo en el mismo cuarto donde gime el zapatero. Al fin el ebanista se presenta con la obra, el tallado del cedro es una obra de arte. Es un acontecimiento que deben celebrar. Se congrega toda la familia, pero al colocar la imagen, Juana se desilusiona y se molesta al comprobar que la Virgen no cabe en la hornacina. Increpa al artesano:

—Sois un mal cristiano, vivís en pecado y enojáis a la Virgen. Después de tanto tiempo habéis confundido las medidas. La peana no tiene la media vara de alto convenida.

Enojada acude a la tía, golpea la puerta del encierro, pide perdón por interrumpir sus devociones.

—¿Qué queréis?

—Por amor de Dios, hacedme un milagro. Nuestra Señora de Copacabana os dará las gracias.

—No. Yo no hago milagros.

—Sabemos que los hacéis a cada rato.

—Si supierais.

—¿Qué...?

—No sé cómo deciros...

Ante la súplica de todos Mariana deja a un lado sus quehaceres. Sale. Se admira de la perfección de la obra, igual a una de las tantas maravillas de la Escuela Quiteña que es famosa en todo el continente. Toma la imagen, pasa sus dedos pasmados de frío por el estofado del vestido que simula la guirnalda de un encaje, calado a punta de alfiler encima de la capa del pan de oro. Calcula el tiempo que demoraron en hacerlo y el tanto de amor que al fin y al cabo han puesto en los detalles. Se da cuenta que el pedestal de la imagen no corresponde al arte de la talla y es un agregado grotesco. Lo desprende y lo tira a un lado. Toma a la Virgen y la coloca con cuidado dentro de la peana.

—¿Veis? ¡Qué cosa tan sencilla! Así luce mejor...

—¡Habéis hecho un milagro!

—¡Os equivocáis! Sólo he quitado el pedestal mal hecho.

Todos, hasta el ebanista, se sorprenden y quedan convencidos de que han sido los testigos de un milagro. La imagen queda *tan ajustada como si de propósito se hubiera vuelto a hacer de nuevo*. Nadie quiere reparar que el pedestal está en el suelo y declaran, en el largo Proceso, que vieron cómo crecía la madera...

La imagen más venerada en casa de los Paredes será esa. Un día de tormenta seca, los relámpagos y truenos parecen anunciar el fin del mundo. La casa se estremece hasta los cimientos, las mujeres se santiguan ante cada descarga y queman palmas y ramas de romero que fueron bendecidas el Domingo de Ramos e invocan a la santa adecuada, diciendo sin cesar:

—Santa Bárbara Doncella, líbranos desta centella.

Pese a las invocaciones, los relámpagos castigan el lomo de las nubes con látigos de fuego y los golpes retumban. Contemplan aterrados que un rayo se cuela hasta el interior del cuarto de Juana de Casso. La ráfaga culebrea y busca donde descargar su furia. Pasa por encima de la cabeza de la niña de tres años, ilumina las paredes y el cuerpo de la Virgen de Copacabana que oscila indefensa, le tizna la orla del vestido, gira enloquecida y por fin, solamente se atreve a destrozar la pata de una mesa dejando pasmados a todos los presentes.

En la confusión, Mariana agradece al Todopoderoso y al mismo tiempo duda si fue ella quien logró desviar la trayectoria de ese rayo porque sintió una fuerza que salió de su mano extendida.

Envuelta en la negrura de sus ropas, nunca faltará a la Iglesia de La Compañía. Antes de salir, sacará de la petaquilla que está bajo la cama los nueve cilicios y se los pondrá con el mismo cuidado de quien se adorna para ir a un baile: *dos en cada brazo, dos en los molledos, dos por debajo de las sangraderas, dos en las pantorrillas y remata con uno en la cintura que da cuatro vueltas*. Al llegar a la oscura sacristía se arrodillará ante el confesionario del hermano Hernando de la Cruz, le confesará sus faltas y le pedirá consejos. Asistirá a la segunda y tercera misas, desayunará el pan consagrado. Sentirá que su lengua se inflama y que se llena de gracia, sentirá que se eleva, se esfuma y se va por el aire. Penetrará al misterio, se llenará de lumbre, sentirá que se muere y se acaba.

En el alborozo de ese arrobamiento, en el aleluya de toda la gloria será como una lámpara que esparce euforia. Más que hacer prodigios, ella, vestida de negro, buscando verdades, es el verdadero y único milagro.

La hermana Jerónima y sus hijas esperan impacientes su regreso. Cuando está presente entran raudales de alegría, la lluvia se aleja de los patios, el sol seca los tendales de ropa, los gorriones parados en fila la miran estáticos desde los aleros, la masa del pan leuda más rápido en la vieja artesa, las niñas bordan las mejores puntadas en las sábanas, el gato limpia la despensa de ratones, la leña del fogón chisporrotea y no se quema el dulce de guayaba ni el puchero. Apenas traspone el zaguán, corren a darle la bienvenida y le rodean:

—Mariana, ¿por qué habéis tardado tanto...? Ya es tarde y no hemos recogido los limones de la huerta.

—Tenéis razón. Vamos a buscarlos.

—No has comido ni siquiera un panecillo.

—No tengo hambre.

—Estáis radiante y hermosa como una manzana.

—Exageráis. Soy la más fea de la casa.

La niña ha llegado saltando las piedras por no hacerles daño. No importa el dolor del garbanzo ni las punzadas de las tachuelas que lleva en todo el cuerpo. Se ríe, les muestra la lengua y les dice:

—*Mirad esta lengua, debierais besarla.* Es lengua bendita porque he comulgado.

Las niñas, en una simpleza que sobrecoge, se dice en el Proceso, se acercaron a besarla...

Mariana no puede lograr que las hermanas, las sobrinas y los demás adultos penetren en su universo donde la humanidad podría ser distinta y hasta alegre. No es fácil explicar esa transubstanciación donde su ser y el Creador llegan a ser lo mismo, donde el éxtasis corre los velos del misterio y es posible llenarse de energía para cicatrizar las heridas cuando las toca con sus manos.

El leve contacto de su palma aterida, aplaca por ensalmo los ardores de la fiebre de su hermana Inés cuando coge tifus. El tabardillo de Juana de Peralta que le dura por más de veinte años, desaparece. El dedo enconado de Juan de Arcilla que lleva tiempo sin sanarse y está hinchado, se cura. Las monstruosas verrugas de Juana Fulleco que le impiden salir a la calle, desaparecen. Los cinco dolorosos saratanes que crecen en el pecho de Jerónima Paredes, se hacen humo, y en los días de pobreza a que se ve sometida su familia, se esfume la angustia de su hermana María que no tiene el dinero para pagar su deuda al sastre y acude llorosa a Mariana que se empina y encuentra las monedas necesarias que alguien dejó en el antepecho de cualquier ventana.

Ante las miradas ajenas, se cuida de mover los objetos pequeños. Rehuye ser exhibicionista ante el temor de que le digan hechicera, aunque en el Proceso aseguran que vieron danzar sobre el piso cuchillos y tijeras. Mariana no quiere pisar un terreno que le parece falso. Le acosan el miedo y la inseguridad. En los largos coloquios con sus confesores, oye hablar de la secta de los alumbrados que cada día tiene más adeptos en la lejana Europa y son perseguidos por el Santo Oficio. Todo lo extraño y aparte de lo cotidiano está en contubernio con el pecado de la magia y para calmar el desconcierto gime ante el letrero de *Dios te perdone, Mariana*.

* * *

Don Xacinto de la Hoz envejece aprisa entre los manuscritos y las páginas amarillas de los libros y piensa que a pesar del fantismo de sus coterráneos, fue un acierto quedarse a vivir en la ciudad andina. La ciudad de Quito se salva de ser sede de la Inquisición. Apenas hay un Comisario miope, un Alguacil Mayor que no hace nada y varios Familiares que descargan la paga de su oficio buscando herejes y hechiceras por todos lados.

En Quito no existen los oscuros calabozos bajo tierra, de aguas heladas y podridas que son nido de alimañas; no hay los huecos donde se empareda a las víctimas y se las deja que mueran lentamente entre alaridos; no se ven los cuartos de tormento donde los verdugos manejan a conciencia la tuerca que rompe las vértebras del cuello en el suplicio del garrote; no hay las ruedas y palancas de los potros de tortura. No hay ocasión de hacer gala del tormento de las parrillas con carbones al rojo vivo, ni el martirio de la gota de agua que cae incesante hasta que llega la locura. No hay mancuerdas, ni tenazas que sacan de raíz las uñas o las muelas. En Quito no existen los salones solemnes donde el miedo a la tortura inventa lo que quieren oír los seguidores del dominico Torquemada que llegaron al Nuevo Mundo en un vuelo de lechuzas agoreras.

Los Tribunales del Santo Oficio funcionan en Lima, en la ciudad de México y en Cartagena. Según el registro que lleva Don Xacinto de la Hoz, calcula que en esos mismos días, entre herejes, sodomitas y hechiceras se han quemado vivas a doscientas víctimas. Quito es el lugar que le conviene. El control que se hace con los viajeros que se embarcan a las Indias es riguroso, no es fácil que llegue a la ciudad, donde todos son católicos acérrimos, por bautismo o por costumbre, algún judío, luterano o calvinista.

El Tribunal del Santo Oficio quiteño persigue de vez en cuando a los frailes y clérigos disolutos y licenciosos, y no siempre obra con diligencia ni tampoco con cordura. Se hace de la vista gorda frente a los devaneos de los dominicos con las monjas y doncellas enclaustradas del convento de Santa Catalina, con los escándalos amorosos de los frailes franciscanos que viven amancebados tras las mismas puertas de sus celdas, y con los agustinos que se han aficionado a la coca y se pasan tumbados, dormitando el letargo en los camastros. Pero no deja de perseguir a los herejes.

Don Xacinto de la Hoz está indignado y lanza toda clase de improperios ante el caso del dominico Francisco de la Cruz, maestro de novicios, doctor en Teología y de vida ejemplar, con quien tuvo algunas pláticas y discusiones. El dominico amanece un día tratando de convencer a sus hermanos de la Orden que él es un ser predestinado. Dice públicamente en un sermón que el celibato es un cuento y que los clérigos deben ser casados. Argumenta que la poligamia es un legítimo derecho. No tiene empacho en propalar que tiene un hijo de nombre Gravélico con la misión de ser un nuevo Mesías o al menos un Juan Bautista. Los feligreses se escandalizan, la comunidad se aterra al escucharle, le persiguen con hisopos de agua bendita y le lanzan exorcismos. Juzgan que es un ser endemoniado y no hay más alternativa que librarse de su presencia y enviarlo con cierta discreción a Lima. Nadie escucha a Don Xacinto que trata de probar que el clérigo ha perdido la cabeza.

Después de ocho largos años de encierro en los calabozos de la Inquisición, durante los cuales no se retracta a pesar de los tormentos, es quemado vivo.

Cuando llega la noticia y los pormenores de su muerte, Fray Pedro de Gasco, discípulo del anterior y también confidente de Don Xacinto de la Hoz, se llena de pánico, pierde la cordura y se denuncia a sí mismo ante el obispo Pedro de la Peña. Le mandan a Lima y como cae en la mar de contradicciones y al fin se retracta de todo lo dicho y no dicho, el Tribunal del Santo Oficio le destierra a España. Don Xacinto de la Hoz, recapacita y jura que nunca más tendrá conversaciones ni tratos con clérigos de ninguna clase.

Pero, es el mundo testigo del caso de una mujer mestiza, analfabeta y vieja, que alguna vez hizo conjuros para ahuyentar la niebla, para que saliera el sol y las cosechas fueran buenas. A su parecer, la mujer hace sus conjuros de la misma forma y con la misma fe de Mariana cuando ora para curar dolencias.

Se esparce de boca en boca la noticia de que es una hechicera. Tiene todos los estigmas de las brujas: es vieja, desdentada, miserable, vive sola y, por añadidura, un gato negro ronda por su casa. No queda más remedio que mandarla a Lima para que la quemen viva.

Los quiteños salen a las calles y se acodan en las ventanas para gozar del espectáculo. La vieja está aterrada. Va a las ancas de una mula, amarrada, para que no se escape. Le han vestido con el escapulario del sambenito, le han cortado el pelo a rape, le han echado ceniza sobre el cráneo, le han puesto cadenas en las piernas y en los brazos. La multitud la culpa de todas las calamidades. Le escupen y escarnecen. La vieja no sabe lo que pasa, ni siquiera para qué la llevan a la ciudad de Lima.

A pesar de la edad, de la falta de recursos y de las piernas hinchadas, Don Xacinto de la Hoz aprovecha el viaje de la vieja y se junta a los guardias para conocer la Ciudad de los Virreyes y saber cómo se llevan a cabo los procesos. Vende lo poco que le queda para hacerse de una cabalgadura y emprende el difícil viaje al lado de la vieja que no sabe si está viva o está muerta.

La ciudad de Lima le deslumbra, pero prefiere la tranquila Quito. Asiste a los interrogatorios en los que la víctima responde con un sí a todos los cargos y preguntas. Bien sabe el español que, de cuando en cuando, el Santo Tribunal tiene la urgencia de dar un espectáculo que sirva de escarmiento.

La hoguera está prendida. Millares de gentes asisten aterradas a la plaza. No todos los días se quema viva a una bruja y nadie falta, ni siquiera las madres que llevan en brazos a sus críos y les dan de mamar una leche que tiene el sabor del miedo. Xacinto de la Hoz aprieta los puños y se muerde los labios cuando la ve amarrada a un palo de la misma altura del palo de la cruz en el Calvario. Entre otras clase de conjuros, redobles de tambores y alaridos de cornetas, la arrastran como un costal de huesos secos. Implora piedad y como no hay misericordia, maldice con expresiones de la peor calaña a sus verdugos quienes confirman que en realidad está poseída del demonio.

Las llamas de la hoguera se elevan hasta el cielo, se prenden los harapos, el cuerpo desnudo se contorsiona. La vieja se asfixia con el humo y en el humo se le escapa el alma. Las llamas devoran las amarras, el cuerpo se dobla y cae entre las brasas mientras el aire se llena de un insoportable olor a chamusquina.

—Menos mal —musita enrabiado Don Xacinto, mientras se aleja asqueado y más envejecido— que se de cierto lo que los verdugos no saben... Sé que la muerte se produce por asfixia y no por la fuerza de las llamas... Si supieran que es así, inventarían otra clase de castigo, pero la atrocidad del espectáculo, mejor que ninguno, sirve para detener la propagación de los herejes...

Todos, hasta los inocentes han tenido alguna vez su encuentro con el diablo. Dicen que se aparece con demasiada frecuencia *disfrazado de doncel gallardo y bizarro* que incita al pecado. Los allegados de Mariana, han visto más de una vez al propio Satanás metido en la piel de un enorme perro negro con ojos de carbunclo, la piel erizada y babas chorreantes que ha entrado sin saber cómo por las puertas cerradas. Satanás anda suelto y se da modos para estar codo a codo con las pobres gentes en el transcurso de los viejos siglos.

En la soledad de su aposento, alguna tarde, Mariana rememora la perdida infancia y juega a escondidas con su poder telequinético, tiende los hilos de la telepatía para mandar mensajes de bondad y de paciencia. La autosugestión es su mejor aliada y por medio de la hipnosis hace lo que hace. Pero se confunde, no encuentra una explicación a sus poderes, a no ser el del especial amor de Dios a su persona que le ha elegido como víctima propiciatoria. Tiene una deuda con Él y está obligada a pagarle con el martirio de su carne. Pero cuando se considera bruja, se siente atenazada por el miedo. Duda y vuelve continuamente los ojos al letrero de *Dios te perdone, Mariana* para frenar sus impulsos psíquicos entre la lucha y la culpa de haber nacido con siglos de adelanto.

A los veintidós años de la muerte de Mariana, cuando se inicia el Proceso que el capitán Baltasar de Montesdeoca, procurador general de la ciudad de Quito manda hacer en nombre del Cabildo, Justicia y Regimiento, en el locutorio del convento de San José de las carmelitas descalzas, se presenta como uno de los tantos testigos Andrea María de la

Santísima Trinidad, religiosa profesa de velo negro, que fue una de sus sobrinas más queridas, y en virtud de la licencia concedida por la priora del convento, atestigua que vio con frecuencia a un par de perros negros que asediaban a la santa:

—*... le arrancaron la lengua y le quedó en un hilo fuera de la boca, que la vio esta testigo, juzgando con sus padres que quedaría sin ella y esto fue en la lucha que tuvo, según se entendió, y ella confesó haber tenido con el enemigo malo*.

Tanto es lo que se cuenta y se dice acerca de la santa, que incita la curiosidad general de los vecinos. Josefa Tineo, una señora que envidia y quiere tener los atributos de Mariana, arde en curiosidad por saber si es verdad que las paredes y el piso están impregnados de sangre. Trae la intención aviesa de hurgar lo que hay en la petaquilla donde le han dicho que guarda los cilicios. Quiere ver con sus propios ojos el esqueleto que le han contado que está en el féretro, vestido con un sayal franciscano. Debe mirar todo lo que hay y todo lo que su imaginación inventa. Se vale de tretas, mueve sus influencias, acude al confesor de Mariana y se hace llevar a la casa junto al Arco de la Reina. La excitación le impide caminar. Se sienta en el poyo del zaguán a esperar que la santa la reciba. La invitación no llega. Considera un ultraje a su persona tanta espera y sube las gradas con paso decidido. Empuja la puerta y se presenta de improviso.

Mariana no sabe quién es, pero adivina que se trata de una intrusa. Percibe sus vulgares intenciones y se molesta. Intuye sus maniobras y pierde la paciencia. No quiere que se difundan sus secretos. Le es duro decirle que se vaya. Apenas contesta el saludo, se aparta del abrazo, rechaza el regalo que le trae. De pie, junto a la puerta, solo atina a clavarle la mirada en el centro de la nuca. La mujer trastabillea, vacila, abre los brazos y cae desmayada. Los criados la sacan a rastras, le dan aire, la reconfortan con sales de amoníaco y se apresuran a meterla en el palanquín. Josefa Tineo no se entera de nada. Mariana cierra la puerta de su retiro. Se siente aliviada de la presencia extraña, pero no se alegra, y sus ojos van hacia el letrero de *Dios te perdone, Mariana*.

* * *

Como si estuviera cansado de alumbrar la ciudad de las iglesias y conventos, el sol no sale a caminar por las laderas del Pichincha. La llama del pabilo se consume en un charco de cera. Cae la lluvia lánguida como hilos que en puntadas largas hilvanan un cielo gris que se desploma en agua sobre una tierra hermosa y siempre verde donde las gentes viven para rezar, jugar a las cartas, fisgonear y aparentar lo que no tienen.

Empieza a clarear y se abren en un bostezo las puertas del Arco de la Reina para dar paso a la sufrida procesión de descendientes mitimaes. Los indígenas tienen la mirada torva y miran de reojo a sus mujeres porque las saben dispuestas a complacer y entregarse a la lascivia de los nuevos amos quienes les ofrecen desconocidos momentos de placer que sus hombres no practican porque ignoran el aperitivo del beso, del requiebro y la caricia.

Mariana, como una pequeña figura de ébano en el atrio de La Compañía, se confunde con la masa anónima de beatas tempraneras y de artistas mestizos que esperan como ella que el viejo sacristán abra las puertas. Hace frío y ella siente más suyo el frío de los capariches de alpargatas húmedas que recogen la basura, y el frío de los indígenas canteros que empiezan a labrar las piedras de la fachada del templo, mientras sus dedos ateridos pasan despaciosos las gastadas cuentas del rosario.

A su lado están los doradores que van a cortar con cuidado los minúsculos trocitos de láminas de pan de oro para cubrir las filigranas de los retablos barrocos. Están los diestros pintores que venden sus lienzos por cuartas y por varas, y copian al detalle los modelos de cuerpos europeos colocados en el paisaje andino de maizales, de chilcas, motilones y guarangos, sin resistir el impulso de dar un color cobrizo a la piel de los bienaventurados. Están los hábiles imagineros que tallan con infinita paciencia cuerpos de anatomías perfectas para los apóstoles y mártires, en el éxtasis de crear rostros que hablan y manos de elocuentos movimientos, en el encarnado de las atormentadas carnes pulidas con hojas de naranja y vejiga de carnero para que el cedro tenga la apariencia de la más fina porcelana, en la maña que se dan para introducir bolas de vidrio en las cuencas vacías de los ojos para que tengan miradas visionarias, y en el arte de colocar en las bocas entreabiertas, uno a uno, los diminutos dientes de marfil, de hueso o de alabastro.

La masa soñolienta de artistas anónimos se agolpa a la entrada de la iglesia para ganarse el pan nuestro de cada día en la construcción del templo, que demora en terminarse más de doscientos años. Se esmera en amalgamar la herencia autóctona con el arte europeo y oriental que le muestran los maestros misioneros. La soberbia fachada de piedra andesita que bajan diariamente a lomo de mula de las canteras del Pichincha los pies descalzos y los ponchos rotos, se levanta airosa. El templo en el que se emplea una tonelada y media de oro de los mejores quilates arrancados de las entrañas de la tierra con un brillo de lamentos y suspiros, se dora sin descanso.

Mariana ve el futuro y se extasía en contemplar su templo terminado. Puede ver los querubines que están en las pechinas y bajan en un vuelo de cabecitas risueñas para avivar la lumbre de los incensarios con el batir de sus alas, y escucha la música de un órgano que arranca chispas de luz a los retablos. De rodillas, al pie del púlpito que semeja la copa del más opulento sultán, antes de sumirse en la oración que le transporta, sin volver los ojos, sin mover las vértebras del cuello, sabe quién es el que se arrodilla a su lado.

Es un joven. No es la primera vez que le siente casi pegado a su diestra, pero ahora percibe su presencia de manera tangible y escucha un susurro apenas perceptible que suplica:

—Mariana, descúbrete, déjame ver tu cara.

La voz suave le conmueve como una muselina que se envuelve al talle absurdamente maltratado.

—Mariana...

Casi es una oración que tiene el poder de quitar el ardor de las llagas que lleva inscrustadas en la carne. Nadie, ni siquiera en lo más hondo del arrebato místico ha dicho su nombre de esa manera acariciante. La voz varonil roza como una caricia desconocida su epidermis y siente que los vellos se le paran y una oleada de sangre le sube de los pies a la garganta. Se estremece. Tiembla. Adivina el contorno que tiene la boca que ha pronunciado cada letra de su nombre, la forma y el color de los ojos que imploran que les deje traspasar la valla del tupido velo, las manos que están juntas y apretadas y no se atreven a tocarla.

Siente que está al borde de un abismo y que se hunde en las tembladeras de una ciénaga que debe ser el laberinto del pecado. Adivina cuánto de dulce y perturbador puede tener el amor humano con la fuerza impetuosa de un río que sale de madre, con el poder de arrancar de cuajo las ansias inveteradas de martirio, de borrar los coágulos de sangre, de tirar la corona de espinas, olvidarse de los azotes, las ortigas y las cardas. Oye la voz que le arranca el cilicio de alambre de púas que da cuatro vueltas al talle.

Se estruja las manos. Los frágiles huesos se tuercen. Las venas le estallan. La boca se seca. Se corta el respiro. Se siente voluta en el aire. El alma y el cuerpo batallan. Jamás hasta entonces se supo tan débil, tan frágil y humana. Jamás sus sentidos llegaron al clímax de esas sensaciones amables y extrañas, sabor de agua fresca después de una noche en que solo ha probado la hiel y el vinagre que aplacan la sed de los labios resecos en medio del crudo dolor del costado y el escalofrío febril que le acurruca al rincón del camastro.

—Mariana, ¿qué haces que no me respondes?

Mariana se clava las uñas. Las uñas se alargan en garfios. Los garfios le abren el pecho en dos partes. Busca el alocado corazón que late. Lo exprime en la mano y lo arranca de cuajo... Después se vuelve, accede al pedido, se levanta el velo y con la voz quebrada apenas contesta:

—Dejadme. *Estoy aprendiendo a morir.*

Y se muere...

Apenas presentido el amor humano, Mariana lo mata y ensaya una nueva y diferente manera de morir.

* * *

Un soplo de mala racha transforma el bienestar y el vivir hasta entonces acomodado de la familia de

Mariana. De la noche a la mañana, los Paredes y Flores pierden su fortuna y quedan sumidos en la oscura pobreza. Mariana sufre por la vergüenza y las privaciones que empiezan a experimentar los suyos. Les brinda el ejemplo de su desprendimiento y sus consejos ayudan a soportar la desgracia. Entonces, predice que todos los de su linaje serán pobres.

Sucede que Cosme de Casso, síndico del convento de los frailes franciscanos, a quienes administraba sus finanzas y haciendas, va a la cárcel. Le condenan a seis años de prisión por mandato del prior. Ha tomado una cantidad de dinero de las limosnas destinadas a los mendicantes y no encuentra la forma de restituirla. La familia se sume en la vergüenza ante los comentarios de las gentes. No salen a la calle, ni siquiera van a misa. No se sientan a la mesa, porque no tienen hambre. Pierden la hacienda de Saguanche y la casa en que viven, aunque Juan Guerrero de Salazar, yerno de Cosme de Casso, en el momento apremiante, logra reunir la suma necesaria para comprar la vivienda en pública subasta y gracias a esta compra, Mariana y los suyos logran conservarla.

No en vano Mariana ha caminado día y noche por los amplios corredores y la huerta, señalando, con su poder de profecía, dónde se ha de construir el futuro convento carmelita con la portería y el torno, el lugar donde ha de quedar el refectorio, el sitio donde se ha de levantar la iglesia. Ha visto a las monjas del Carmelo que caminan agenciosas por los patios, las ha visto cómo cuidan los retoños del manzano y del membrillo y cómo riegan las cebollas y las coles de la huerta, cómo hacen los alfajores, polvorones y huesos de Santa Teresa en la cocina, cómo los colocan en canastillas de mimbre cubiertas de paños bordados que hacen por encargo para sostener los gastos del convento, y cómo se juntan en la iglesia a la hora de rezar maitines, ángelus y vísperas.

Catalina de Salazar tiene tres años y sus padres deben hacer un vieja imprevisto para ultimar la venta de Saguanche. La dejan al cuidado de Mariana. Pero Catalina es inquieta, tanto como era la juvenil tía cuando jugaba con Escolástica Sarmiento. Apenas se descuidan, Catalina baja las gradas y se escapa al patio para ver de cerca a las mulas que han traído las cargas de leña y el forraje. Se confunde entre las patas de la recua y una mula herrada le da una coz en la cara, *le deja los dientes desencuadernados, el rostro magullado, y la nariz quebrada*.

Los arrieros gritan y se agitan. Los indios sienten sobre sus espaldas el rastrillar del látigo, apartan a las mulas y apilan temblorosos las cargas de la leña. Los criados suspenden sus tareas. Mariana escucha el alboroto y desciende a la tierra. Baja asustada al patio. Entre todos rescatan el cuerpo yerto. La dan por muerta. Depositan el pequeño cuerpo ensangrentado en los brazos de Mariana quien la toma con un temblor de angustia y pide que le traigan *un trozo de carne de vaca*. Se encierra con la niña en su cuarto mientras gime:

—*¡Pobre de mí! ¿Qué cuenta daré a los padres della?*

La acuesta con cuidado en su cama. Se arrodilla a su lado, se aterra ante la gravedad de las heridas. Pone sus manos temblorosas en el rostro desfigurado. Sabe lo que debe hacer. Se concentra en la oración consubstancial con el Hacedor de la Vida. Desesperada, encauza la energía colectiva que es capaz de detener la marcha de los astros, modificar el curso de los ríos, cambiar de sitio las montañas.

Pasan los minutos lentos y agobiantes, la ampolla del reloj de arena se vacía, la angustia de los habitantes de la casa crece delante de la puerta clausurada. Mariana está en oración. Se oye cómo respira la paja y el chocoto en las paredes, se siente lo que musitan los pilares, el murmullo de las tejas y de las piedras del patio.

Un imán atrapa la energía colectiva que late en los confines. Se siente el descenso de los ángeles que se arriman a la puerta, de los arcángeles que se sientan en la cama, de los querubines que se abanican la cara con las alas y se colocan a los lados de Mariana, de las dominaciones que se paran en el cumbrero del tejado y llegan los espíritus que un día se despojaron de la carne. Mariana les sabe cerca y les conmina...

En los tejidos del pequeño cuerpo ensangrentado empieza a germinar la vida. Las células se multiplican.

La sangre estancada fluye por las venas y las arterias rotas. Los cartílagos se enderezan y se sueldan las partículas del hueso. La piel se limpia de desgarraduras y hematomas. El tiempo se queda en suspenso...

Catalina respira, parpadea, abre los ojos, el rostro cadavérico toma color y sonríe. Mariana siente un remezón y se estremece:

—Gracias, Todopoderoso, gracias...

Aún tiembla cuando limpia las manchas de la sangre coagulada, cuando se abraza a la niña, la acaricia y le habla.

Va a la puerta y pide que traigan una mudada nueva. La viste. En la cara risueña no queda ninguna señal, apenas una leve marca azulada en la mejilla, la nariz está entera, los dientes en su sitio. Catalina no siente ningún dolor ni sabe por qué está en el cuarto de Mariana si hace poco estaba en el patio.

Cuando Mariana abre la puerta y ven salir a la niña mordiendo una manzana, los habitantes de la casa se quedan abismados y ella sólo dice, a modo de fútil comentario, al ver el trozo de carne que ha permanecido olvidado en el plato:

—*Buena es la carne de vaca para estos casos.*

La punzada en el costado le encoge el cuerpo, la calentura intermitente le confina a la cama, la tos seca le desgarra el pecho, el dolor de los huesos cuando la lluvia se desgrana, son evidencias de que vive enferma. Los familiares consideran que la mejor cura es que un día a la semana venga el barbero del barrio con sus tarecos para hacerle una sangría.

La india Catalina recoge hasta la última gota de sangre en un cazo y la lleva a enterrar en un lugar apartado de la huerta. Cava un hoyo junto a los tapiales, al frente del espantapájaros que baila al son del viento. Cada semana levanta la piedra que cubre el hueco, vierte la sangre, la remueve con un palo y no logra entender por qué razón no se corrompe y siempre está fresca. Su asombro llega al límite cuando una mañana ve que el espantapájaros está quieto con un enjambre de aves encima de sus hombros. Lo encuentra inclinado hacia el hueco y mira que ha florecido una mata de azucenas con tres ramas...

* * *

El agobiante ritual de la Semana Santa quiteña es famoso. Son los días de obligada penitencia. La ciudad permanece envuelta en la tiniebla del luto y del sudario de la muerte. Las numerosas cofradías se preparan para competir en lujo y demostraciones de dolor en la solemne procesión del Jueves Santo. Todos sin excepción se visten de negro. Sacan de las alacenas y de las sacristías los cajones con látigos trenzados y puntas de acero, las túnicas de soldados romanos y de sayones, los mantos de Marías, Magdalenas y Verónicas que se reparten a cada una de las cofrades para que hagan su papel a lo largo de las calles empedradas y lluviosas.

Por propia voluntad nadie acepta el papel de Judas, tiene que hacerlo el indio o el mestizo más malvado que purga su condena en la cárcel. Pero todos se disputan por hacer el papel de Nazareno aunque carguen la pesada cruz, aunque se dejen encasquetar la corona de espinas y sean azotados.

Se desempolvan las magníficas esculturas de las Santas Mujeres y los Apóstoles. Se encienden los candelabros de plata cincelada colocados sobre los terciopelos de las andas. Los costaleros hacen penitencia por sus pecados. La procesión avanza al son de cornetas y tambores. El arrastre de las cadenas uncidas a los tobillos rebota en las piedras. Los flagelamientos en las espaldas desnudas, los pies ampollados, los maderos que lastiman los hombros, las agobiantes plegarias dejan en el aire de la noche un olor rancio a sangre, incienso y pecado.

Cuando amanece el Viernes Santo todos se sienten culpables. Se silencian las campanas. Solo se escucha el ronco sonido de las matracas que imitan la risa de las calaveras. Las calles quedan desiertas. Los indígenas se ven absueltos del trabajo. En los lugares apartados, aprovechan que nadie les vigila y desde la víspera ahogan sus penas en los cántaros de chicha para tener la borrachera más larga de todo el calendario, mientras cae la lluvia lánguida como un sudario.

En todo el mundo católico es el día de ayuno a pan y agua, pero los moradores de Quito se dedican a preparar la comida más pantagruélica del año, la comilona que quebranta los ayunos del ayer y del mañana. En las casas de los ricos y de los pobres, desde la madrugada, se hace la inmensa olla de fanesca como el pretexto para asistir sin desmayos a las tres horas del sermón de las Siete Palabras. Entre eructos y golpes de pecho se hace la digestión de la fanesca y del sermón, al mismo tiempo.

A la noche, los habitantes de la católica ciudad salen en oleadas a cumplir el rito de la Adoración de la Cruz. Los pudientes van vestidos con sus galas negras y los pobres usan lo mejor que les quedó del último luto. Visitan catorce iglesias para comentar más tarde cuál monumento estuvo arreglado con más lujo y esplendor.

Mariana, arrodillada en el suelo de La Compañía, al pie del púlpito, envuelta en sus cilicios, escucha el sermón de las Siete Palabras y, cuando se termina, regresa a su cuarto solitario y se cuelga en la cruz. Suspendida entre el cielo y la tierra volverá a pesar suyo a resucitar cuando suenen las campanas.

* * *

Marzo veintiséis de mil seiscientos cuarenta y cinco, cuarto domingo de cuaresma.

El anciano Don Xacinto de la Hoz, envejecido de nostalgia y soledad, ya no pasa las horas metido en la biblioteca del presidente Don Antonio Morga. Le han salido cataratas y se le dificulta la lectura. Maldice su mala suerte y no se resigna a la ceguera. Arrastra los pies, insulta a todo el mundo, habla entre dientes y, por tanto, todos están de acuerdo en que chochea. Los Familiares del Santo Oficio optan de común acuerdo por no hacerle caso y dejarle de lado. Pero, con la soledad y con los años, se le han acrecentado las manías: no se desprende de la Mónita Secreta que está mejor bajo su almohada que en los estantes de la biblioteca ajena y aunque solo ve sombras, va subrayando con encono cada párrafo que cree que tiene relación con la vida de Mariana.

Matías Sandoval, veintiséis años más viejo y encorvado, «bajo la lluvia que le pudre el sayo», nunca hasta entonces frecuentó ninguna iglesia porque estaba impedido por su oficio, pero esta vez no sale del templo de La Compañía, y en vez de dormir por las mañanas como era su costumbre, se sienta en las últimas bancas que están destinadas a los indígenas. No deja de darse golpes en el pecho, contagiado del pánico que atenaza a los moradores de Quito.

Una nueva serie de temblores sacude a la ciudad. Cada remezón es más fuerte que otro y causa más estragos. Los moradores de Quito ven aterrados e impotentes cómo oscilan los campanarios de las iglesias y se van al suelo, cómo quedan cuarteadas las macizas paredes de dos metros de espesor, cómo se resbalan las tejas de las techumbres y las casas de los pobres se derrumban. No hay calle que no tenga grietas. El puente de Machángara está inservible y por todos lados se oyen lamentaciones y quejidos.

El Cabildo religioso y el Cabildo de seglares mandan que se haga con la premura del caso una procesión general de penitencia con todas las cofradías y conventos. Los fieles se congregan en la Catedral con el presidente de la Real Audiencia, que al fin está contrito y ha hecho el propósito de enmienda; con los oidores y los principales que examinan sus conciencias y las encuentran en mal estado; con los encomenderos que se dan golpes de pecho y con todo el pueblo que no cesa de pedir misericordia. Salen en procesión con sus cirios encendidos y pendones bajo un cielo encapotado que está a un tris de abrirse en lluvia.

En la Iglesia de La Compañía predica el mejor orador de la época, el jesuita Alonso de Rojas, quien conmina al auditorio a hacer más penitencia para detener el castigo del cielo, y en un arranque de efusión, ofrenda su vida de viejo para que no se destruya la ciudad.

Mariana se ofrece como víctima expiatoria. Se aferra a las plantas del Altísimo, las sacude, las moja con su llanto, le suplica que tome su vida entre sus manos, que la aplaste como a una sabandija, que le quebrante los huesos uno a uno, que le triture los nervios y la carne a cambio de que quede intacta la ciudad amada, y cuando sale de la prédica siente que el dolor en el costado se hace tan agudo que le impide respirar, y los quebrantos de su cuerpo maltratado van de la calentura a la postración completa.

Sabe que cuando deje el mundo su presencia se dejará sentir con más peso cada vez que la tierra tiemble y sabe que se pondrá en su boca aquello de que «la ciudad no desaparecerá por los terremotos sino por los malos gobiernos». Palabras que no dice porque no son los momentos de enfrentamiento político. Las inventan las facciones liberales y a su vez las repiten las conservadoras en sus inútiles luchas de poder. No son días de enfrentamiento y rebeldía como en la Revolución de las Alcabalas, y los terremotos vuelven a causar estragos en los años de mil setecientos cincuenta y cinco, en mil ochocientos cincuenta y nueve, y mil ochocientos sesenta y ocho.

Entre los asistentes al clamoroso sermón de Alonso de Rojas se encuentra Matías Sandoval con sus achaques; en su terror, confunde las palabras y sin esperar que sea la hora en que acostumbra hacer la ronda a lo largo de la calle de las Siete Cruces, sale tambaleante del templo. Para darse ánimos, empina la botija de aguardiente que esconde bajo el poncho y va por toda la ciudad pregonando a voz en cuello que esa noche es la noche del juicio final:

—¡Alabado sea el Santísimo Sacramento! ¡Todo sereno, pero llegó el fin del mundo! ¡Toda la ciudad se ha de hundir esta misma noche! ¡Misericordia, Señor! ¡Hemos de desaparecer tragados en las entrañas de la tierra!

Al escuchar el terrible pregón, los vecinos pierden la cabeza y abandonan la ciudad en éxodo masivo ante el terror de ser pasto de las iras celestiales. Por el Arco de la Reina, desde Chimbacalle, en dirección al valle de Los Chillos, aparece una larga hilera de gentes aterradas y llorosas que dejan sus haberes y salen con lo puesto. Las madres cargan a sus hijos, los que pueden andar, van asidos a las faldas. Se improvisan carretas de todos los tamaños. Algunos hombres cargan sus colchones y sus mantas. Las señoras ricas recogen sus joyas y hacen que los criados les lleven los objetos de valor. Los pocos palanquines van colmados. La ciudad se vacía como el colmenar que se queda sin la abeja reina, y Don Xacinto de la Hoz ni siquiera intenta salir de su cuarto, se queda solo, abandonado, porque las piernas ya no le sirven para nada.

Mariana, enclenque y afiebrada, sabe que no es la hora en que el Señor de los Ejércitos inicie la destrucción total. Agarra una manta y se arrastra hasta la calle para suplicar a los que huyen que no salgan. Les pide que no abandonen la ciudad que es el corazón de la Real Audiencia, pero nadie le escucha porque están obnubilados por el pánico.

Días después sabrán que fue el terremoto de Riobamba.

Amanece el nuevo día, la ciudad se despierta bajo la lluvia lánguida y fina y aunque está desierta, permanece intacta. Hace falta el tañido de campanas, ni un solo sacristán está en su sitio. Los perros hambrientos husmean la basura. No hay un alma en las calles. El viento agita las puertas mal cerradas. A la noche, hace falta el pregón de Matías Sandoval que será el último en regresar, amenazado por dar noticias falsas.

Pasan los días. Los vecinos de Quito regresan poco a poco. Llega la noticia de que toda la villa de Riobamba y sus anejos está en escombros, y que la peste originada por los cadáveres insepultos de once mil personas, más la epidemia de garrotillo y de alfombrilla, amenaza a los pocos sobrevivientes.

El lunes de Pasión, Mariana está postrada en cama con los achaques de la muerte. Ha pedido que la lleven al cuarto de su sobrina Juana de Casso para que cuando muera, sus deudos no se enteren de lo que hay en la petaquilla que está debajo de la cama. Suplica a la india Catalina que esconda sus secretos y no se olvide de ponerle de mortaja el hábito franciscano del esqueleto que espera tras la puerta de su cuarto. Está lista para dejar el mundo, pero no se muere.

El médico que la atiende, Juan Martín de la Peña, dice que es necesario aplicarle una sangría. Mariana se alegra de dar la poca sangre que le queda. Extiende el brazo flaco y la navaja entra en vano. Los familiares asombrados advierten que por la herida sale un chorro de agua y exclaman:

—¡Milagro! ¡Milagro!

—¡Mirad, es lo mismo que le pasó a Nuestro Señor en el Calvario!

El arzobispo Fray Pedro de Oviedo acude a reconfortarle en los últimos momentos; al despedirse, quiere besarle la mano y ella la retira bruscamente y la esconde entre las sábanas. Ha dicho que al morir perderá el habla para quedarse a solas, frente a frente a la certeza de lo que tanto anhela, y no se muere.

Pasa la Semana Santa con su parasceve que es más dolorosa y sangrienta que otras veces. Llega la Pascua Florida de Resurrección con su septenario, pasará una semana más y Mariana está con vida. La verdadera muerte no le llega y está desesperada por ofrendar su vida. La puerta al más allá permanece cerrada. La mano que pide ayuda para escalar al cielo está extendida en el aire. Espera en vano el momento decisivo, el último estertor está sentado en la garganta, y permanece.

Año del Señor, mil seiscientos cuarenta y cinco, mayo veinte y seis, infraoctava de la Ascención y día viernes.

El oidor Jerónimo Ortiz y su esposa Leonor de Saavedra esperan desde temprano el instante supremo del desgarramiento del alma que no conoce anestesia, y solo cuando salen, cansados de la espera, Mariana —no los que están presentes sino ella— se declara muerta. Su mente milagrosa acapara los núcleos de energía, tensa los flácidos músculos del cuerpo, manda que el corazón se quede quieto, que los pulmones dejen de aspirar el aire plagado de murmullos y, a las diez de la noche, se embarca sin miedo alguno en el paroxismo de la catalepsia.

Mariana se empieza a alejar del mundo como un rayo de luz que se pierde en el infinito sin ningún menguante.

El grito de Matías Sandoval hace un hueco en la cortina fría de la lluvia, de trecho en trecho lanza su pregón lastimero:

—¡Alabado sea el Santisímo Sacramento! ¡Mariana de Jesús ha muerto!

Al enterarse del suceso los bethlemitas se levantan del jergón, se bajan la capucha hasta los ojos, con las manos juntas pasan en silencio al coro de la capilla y se encomiendan a Mariana.

La gente hambrienta de sucesos empezará a agolparse junto a la casa cercana al Arco de la Reina. Unos quieren saber por devoción, otros por curiosidad, la manera como deja el mundo una santa.

El hermano Hernando de la Cruz le asiste en los últimos instantes, le da los santos óleos y pide a los hermanos y parientes que no lloren, porque no hay razón alguna para lamentarse. Cae de rodillas, se hunde en sí mismo y se pierde en el éxtasis. En el entierro de Mariana nadie derrama una sola lágrima.

Cuando Xacinto de la Hoz se entera de su muerte, no dice nada porque desde que la conoció la supo muerta, solo se aviva como una llamarada la lástima que le inspira su paso por la tierra y una hilera de preguntas sin respuesta se agolpan en su mente.

Los moradores de Quito invaden el zaguán oscuro y penetran en el futuro convento carmelita. Todos están ansiosos de llevarse una reliquia de la santa.

Buscan un talismán que les proteja de las dolencias de la carne y de las heridas abiertas de las almas.

María y Juana de Peralta quieren conservar un rizo de sus cabellos. Cogen unas tijeras y se acercan medrosas a la cama. Pero a la vista de todos, Mariana se incorpora y se sienta, echa una bocanada de sangre *clara fresca que recogen en una sábana de ruán de Cofre* y se reparten pedacito a pedazo entre los deudos, y lo que queda es arrancada por las manos ansiosas de las gentes.

Aún no muere.

Hay demasiada bulla para cruzar el puente, demasiados testigos inoportunos a sus plantas. Mariana necesita silencio para tensar sus nervios y dar el paso final. Ni siquiera para morir se siente libre, su nombre no se despega de tantas lenguas, hasta cuando agoniza, se aferra a la columna de la paciencia. Ansía que el encuentro con su Dios sea sereno, como el descendimiento del sol tras los riscos del Pichincha, como el pasar de la hora cuando la arena del reloj se acaba, como mueren los ríos que entran en el inmenso océano, sin sentir nada, porque nunca han dejado de ser agua.

Tiene la faz tranquila, está hermosa y rosada, como dormida, entre los dedos tensos se aferra como un náufrago al crucifijo. Durante dos días todos los habitantes de la ciudad desfilan ante el féretro tratando de llevarse cualquier reliquia. Las gentes se asombran y comentan:

—¡Santica, Mamitica! ¡Por fin podemos mirarte cara a cara!

—Parece que no está muerta porque hemos visto que, *si una mano de varón quiere tocarla, su rostro se hincha y muda de color...*

Entre tanta gente no falta el varón osado que le pone la mano sobre el cuerpo para ver si es verdad lo que se dice.

Amanece el domingo, las campanas de la ciudad se echan a vuelo cuando le llevan a enterrar a la Iglesia de La Compañía. Es llevada por unos cuantos sacerdotes puestos sus sobrepellices que se turnan de trecho en trecho para tener el privilegio de cargarle. El cortejo se abre paso con dificultad entre el gentío. Antes de trasponer las puertas de la iglesia la turba se lanza a tocarle con algodones, pañuelos y rosarios, y los que no logran llegar al féretro, lo hacen desde lejos valiéndose de palos. Las manos mendicantes y ávidas le arrancan a tirones el hábito franciscano. Su cuerpo de lirio fresco queda desnudo y tienen que ponerle al apuro otra mortaja. Los devotos se arremolinan. El presidente de la Real Audiencia que está presente ordena que sea custodiada por soldados y estos, con las espadas desenvainadas hacen esfuerzos para escoltarla.

El cortejo logra llegar al altar de la Virgen de Loreto en cuya bóveda ha pedido repetidas veces que la entierren. Pero la bóveda está sin terminar y deciden, en último momento, ponerla provisionalmente en la capilla de San José, en la bóveda de Juan Vera de Mendoza. Mariana se da cuenta que no está donde ha pedido y ante la admiración de todos, *abre un ojo*.

Se escuchan gritos. La gente llega al paroxismo.

Cuando la llevan a la Capilla Mayor para las exequias, *abre los dos ojos*. Las gentes se pasman y se confunden, un temblor de misterio les sobrecoge, los murmullos y plegarias estremecen los cimientos, los recios pilares y las altas cúpulas.

El jesuita Alonso de Rojas ha tenido el tiempo suficiente para preparar el sermón de las honras fúnebres y no sabe qué hacer ante un cadáver que abre los ojos. Duda si está viva o si está muerta. Teme que el tumulto se venga encima y se llegue a la profanación del templo. Entonces, con gesto decidido, imprime su huesuda mano sobre los párpados y los cierra terminante, como se cierra un libro viejo que se ha leído y ya no interesa cómo termina.

La iglesia está repleta de fieles y de curiosos que aún esperan que se produzca otro milagro más portentoso: que resucite, que salga del ataúd, que le crezcan alas, que vuele al cielo...

Antes de que se terminen las exequias, cierran y clavan el ataúd sobre el mismo túmulo.

* * *

Cae la lluvia lánguida y fina sobre la siempre verde ciudad de Quito. Brillan las piedras o acaso lloran. Las gentes regresan cabizbajas a sus afanes. A la noche, Matías Sandoval deja de hacer la ronda a lo largo de la calle de las Siete Cruces. Ya no puede caminar. Envejece de un día para otro y las piernas sucumben a la deformidad y al dolor punzante del reumatismo. Empina su botija de aguardiente y dice a su mujer que le sabe inválido:

—Así es la vida...

Una tristeza con témpanos de hielo, más fría y desolada que las nieves del volcán Pichincha, apura el final de Don Xacinto de la Hoz y un ramalazo de inútil rebeldía se mete dentro del encorvado cuerpo cuando contempla de tarde en tarde una azucena.

El escalofrío le eriza la piel cuando trata de adivinar si a la Mariana de su alma la enterraron muerta, seca por dentro, ¡o la enterraron viva!, asida al estertor de su catalepsia.

Este libro se terminó de imprimir en los talleres de
Editorial Ecuador F.B.T. Cía. Ltda.
Santiago 367 entre Manuel Larrea y Versalles
Telfs: 528-492, 228-636. Fax: (593-2) 227-551
Quito- Ecuador